인생 한 수

인생한수

말은 아끼되 마음은 아끼지 말라 ◆ 김무일 지음 ◆

다연
DAYEONBOOK

/

흔들림 없이
잘들 살아가고 계신가요?

Festina Lente!

천천히 서둘러라, 그러나 최선을 다해 이룰 때까지 살아남으라!

로마 통일의 위업을 이룬 아우구스투스 황제의 좌우명입니다.

어느새 최선을 다해 서둘던 세월이 흘러 흘러 여기까지 왔네요. 설레는 마음으로 첫 출근하던 때가 바로 엊그제 같은데 어느덧 정년퇴임을 했지요. 다른 사람도 마찬가지겠지만 나 역시 인생은 초행길이라 적잖은 오류를 범했고, 벙어리 냉가슴 앓듯 마음고생도 많이 했습니다.

미국의 소설가 피터 드 브리스는 '인생은 밀림 속의 동물원'이라고 하더군요. 인생도 밀림처럼 변화무쌍해서 한 치 앞도 예측할 수 없다는 의미겠지요.

나는 파릇파릇한 정춘이었을 때 주월 청룡부대 수색중대 소대장으로 월남전에 참전했습니다. 스무 살 갓 넘은 초롱초롱한 눈망울을 지닌 소대원들을 이끌고 갖은 위험이 도사린 무성한 밀림 속을 헤집고 다녔죠. 전투 기간 중에 많은 부하를 잃었고, 나 역시 수차례 죽을 고비를 넘겼지만 어쨌든 살아남았습니다. 희생된 동료들의 몫까지 대신해서 살아야 했기에 열심히 사회생활을 했습니다.

그런데 직장생활이라는 게 총만 안 들었지 전쟁터와 마찬가지더군요. 인생도 밀림 속을 헤매는 것과 다를 바 없었습니다. 전투부대 소대장 시절에 그랬듯이 그 누구도 눈앞에 어떤 위험이 도사리고 있는지 가르쳐주지 않았습니다.

만약 누군가 적이 매복해 있다는 사실을 알려주었더라면 어떻게 되었을까요? 분명 상황은 많이 달라졌겠죠. 금방이라도 끊어질 것만 같은 팽팽한 긴장감도 덜 수 있었을 거고, 수많은 부하의 희생도 막을 수 있었을 겁니다.

사회생활도 마찬가지였습니다. 한 발 한 발 조심스레 걸어갔지만 예상치 못한 상황에 수시로 맞닥뜨렸고, 어떻게 처신해야 할지 몰라 속을 끓이곤 했습니다. 그럴 때 누군가 나에게 적절한 충고 한마디만 해줬더라면, 직장생활은 분명 훨씬 더 여유롭고 행복했겠다는 생각이 듭니다.

나는 30대 초반에 해병대 대위로 전역한 뒤, 회사원으로 사회생활을 시작해서 현대제철 부회장으로 정년퇴임했습니다. 평사원이 올라갈 수 있는 최고 높은 직위까지 올라간 셈입니다. 개인적인 능력이나 자질이 남달랐다기보다는 훌륭한 상사와 믿음직한 동료, 그림자처럼 믿고 따라준 부하 직원들 덕분이었습니다. 좋은 분들과 더불어 동시대를 살았다는 사실에 긍지와 함께 자부심을 느낍니다.

퇴임하고 나서도 많은 인사와 교류했습니다. 그런데 하루는 신년인사차 찾아온 모기업(母企業)의 인사담당 중역과 이런저런 이야기를 하다가, 선배님의 인생 경험을 후배들과 함께 나누는 게 어떻겠느냐고 하더군요. 그날 이후로 '내가 후배 직장인들에게 해줄 만한 게 뭐가 있을까'를 고민하기 시작했습니다. 그러다 우연찮게 인연을 맺은 다연 출판사 사장과 차를 마시다가 《인생 한 수》라는 책을 쓰기로 덜컥 구두 계약을 하고 말았습니다.

한동안은 사막에 홀로 서 있는 것처럼 막막했습니다. 괜한 욕심을 부린 게 아닌가 싶어서 후회도 했지요. 그런데 시간이 지나자 직장생활을 하며 살아왔던 날들이 신기루처럼 떠올랐습니다. 때론 좌절하고, 때론 기뻐하고, 때론 밤낮없이 일하다가, 때론 분노하고, 때론 극심한 스트레스로 머리를 싸매고, 때론 직장을 잃은 동료를 다독이고, 때론 서류를 옆구리에 끼고 허둥거리며 달려가던 지난날의 나의 모습을 돌아보다가 한 자 한 자 적어나가기 시작했습니다. 그 말들은 지난날의 나에게 건네는 위로이기도 하고, 여러분에게 건네는 충고이기도 합니다.

산업 현장을 비롯한 우리나라 각 분야의 직장인 여러분!

흔들림 없이 잘들 살아가고 계십니까?

"네, 잘 살고 있습니다!" 하고 자신 있게 대답할 수 있는 분들은 계속 가던 길을 가세요. 그러나 왠지 모르게 자신이 초라하게 느껴지고, 직장인으로서의 미래가 막막하게 느껴지고, 앞으로 인생을 어떻게 살아야 할지 모르겠다면 잠시 발걸음을 멈추고 내가 건네는 한마디를 들어보세요.

《인생 한 수》는 흔들리는 사람들을 위한 책입니다. 물론 이 책이 직장인들의 모든 근심과 걱정거리를 없애주지는 못할 겁니다. 그래도 '나의 일'과 '나의 직장'에 대해서 진지하게 생각해볼 기회는 될 것입니다. 또한 유능한 직장인으로 변신하는 데 도움이 되리라 예상해봅니다.

인생은 참 알 수 없습니다. 세상을 모두 잃은 것처럼 깊은 좌절 속에 빠져 있다가도 누군가 건넨 한마디에 용기를 얻곤 합니다. 내가 건네는 한마디 말들이 여러분의 가슴속에 스며들어 한 줄기 빛이 되고 용기가 된다면 얼마나 좋겠습니까.

산업화 시대에서 정보화 시대로 넘어가는 과정에서 세계 경제의 침체로 한국 경제도 크고 작은 어려움을 겪고 있습니다. 그러나 나는 크게 걱정하지는 않습니다. 우리나라 직장인들의 저력을 믿기 때문입니다.

끝으로 이 세상에 나를 있게 해준 부모님과 직장인으로서의 품격을 잃지 않도록 배려해준 아내, 인생길에 버팀목이 되어준 아이들, 그리고 보람된 산업 현장에서 나를 믿고 중책을 맡겨주셨던 정몽구 회장님을 비롯한 선후배, 동료 여러분께 진심으로 감사드립니다.

여러분이 있어서 열심히 일할 수 있었고, 여러분이 있어서 행복했습니다!

2015년 4월

김무일

Chapter 1

내 안에서부터 승리하라

.C.O.N.T.E.N.T.S.

Chapter 2

거인이 되려면 기품 있게 행동하라

.C.O.N.T.E.N.T.S.

Chapter 3

유능한 직장인이 되는 비결

.C.O.N.T.E.N.T.S.

Chapter 4

일과 더불어 행복하게 살아가기

Chapter 1

·

내 안에서부터
승리하라

성장하고 싶다면
뿌리부터 내려라

　　주변을 둘러보면 마음의 뿌리를 내리지 못한 채 하루하루를 살아가는 사람들을 쉽게 찾아볼 수 있다. 식물이 성장하기 위해서는 뿌리를 내려야 한다. 그래야 자양분을 공급받아 꽃을 피우고 열매를 맺을 수 있다.

　　일을 대할 때도 마찬가지이다. 나와 일이 물과 기름처럼 겉돌아서는 시간만 낭비할 뿐 좋은 성과를 기대하기 어렵다. 개인 사업자든 직장인이든 간에 일을 맡으면 마음의 뿌리부터 내려야 한다. 그래야 그 일의 속성을 파악해서 제대로 처리할 수 있다.

　　무슨 일이든 시작하고 나면 직분이 생긴다. 직분이란 '맡은 바 일'로서 내가 반드시 해야 하는 일이다. 그 일을 대하는 마음 자세와 처리 과정을 보면 그 사람의 미래를 어렵지 않게 짐작할 수 있다.

　　유능한 인재는 직분이 주어지면 자신의 본분을 충실히 수행한다. 먼저 마음의 뿌리를 내린 뒤 해야 할 일들을 하나씩 처리해 나아간다. 그런데 대개는 직분이 주어졌음에도 불구하고 뭘 해야 할지 몰라 우왕좌왕한다. 자신이 마땅히 해야 할 일도 동료나 아랫사람이 하겠지 하고 수수방관한다. 그러다가 일이 잘못되면 타인에게 책임을 떠넘긴다. 혹자는 잘난 척하다가 자신의 본분을 망각하고 도에 넘치는 행동을 하기도 한다.

나의 좌우명은 '수처작주 입처개진(隨處作主 立處皆眞)'이다. 당나라 시대의 유명한 선승 임제선사의 말인데, 한마디로 요약하면 '언제 어디에서든 그곳의 주인이 되라'는 뜻이다.

주인이 되려면 마음의 뿌리부터 내려야 한다. 마음의 뿌리를 내리기 위해서는 3단계 과정을 거쳐야 한다.

1단계 과정은 '수용'이다.

내가 선택한 일이라면 마음으로 받아들이기가 쉽다. 그러나 부모의 강요로 원치 않게 사업을 물려받은 경우, 일 처리를 잘못해서 지방에 영업직으로 좌천된 경우라면 수용하기가 쉽지 않다. 일을 마음속으로 수용하지 않는 한 제대로 일 처리를 할 수 없고, 개인적인 발전을 기대할 수 없다.

이럴 때는 사고의 폭을 넓힐 필요가 있다. 영화나 소설도 줄거리가 빤하면 재미가 없다. 반전이 있어야 사람들이 열광한다. 인생이 흥미로운 까닭은 어딘가에 반전이 숨어 있기 때문이다. 즉, 시련은 반전을 위한 필수 불가결한 장치다. 거부하지 말고 신이 반전을 위해 마련해놓은 시련을 순순히 받아들여라.

인생은 내가 원하는 대로만 살아갈 수 없다. 아무리 뛰어난 미식

가라도 때로는 소금이 전혀 들어가지 않은 밋밋한 병원 음식을 먹어야 할 때도 있고, 절대음감을 지닌 뛰어난 음악가라도 조율조차 전혀 안 된 형편없는 피아노 연주에 박수를 쳐야 할 때도 있다. 정하기 싫다면 어쩔 수 없지만 어차피 해야 할 일이라면 한시라도 빨리 현실을 인정하고 받아들이는 게 좋다.

'내가 원했던 일은 아니지만 최선을 다해보자! 어쩌면 나의 능력을 한껏 발휘할 좋은 기회인지도 모른다.'

인간은 생각하는 동물이기 때문에 긍정적으로 생각하기 시작하면 그 어떤 일이든 어렵지 않게 수용할 수 있다.

2단계 과정은 '자각'이다.

누군가 일일이 알려주기 전에 이제부터 내가 무슨 일을 해야 할지를 스스로 깨달아야 한다. 그것은 직분에 대한 각성이요, 업에 대한 성찰이다. 업종에 따라 사장은 사장으로서 해야 할 일이 있고, 간부는 간부로서 해야 할 일이 있고, 평사원은 평사원으로서 해야 할 일이 있다. 그 일이 무엇인지, 왜 해야 하는지를 마음속 깊은 곳에서부터 깨달아야 한다.

3단계 과정은 '실천'이다.

실천으로 이어지지 않는 깨달음은 깨달음이 아니다. 내가 해야 할 일을 알았다면 곧바로 말과 행동으로 옮겨야 한다.

이렇게 3단계 과정을 통해 마음의 뿌리를 내리면 업무적으로도 인격적으로도 성장하게 된다. 시간이 지나면 자연스럽게 꽃이 피고 열매가 맺히듯이 능력을 인정받게 되고, 성공의 대열에 들어서게 된다.

조직이 힘을 발휘할 때는 리더 혼자 고군분투할 때가 아니라 조직원 개개인이 자신의 직분에 충실할 때이다. 저마다 직분에 충실해지면 영화 〈300〉에 등장하는 스파르타 용사들처럼 일당백의 전사가 된다.

삶에는 여러 가지 경우의 수가 있다. 내가 일을 선택해서 살 때도 있지만 일이 나를 선택할 때도 있다. 지금 눈앞의 일을 하고 싶은 마음이 없다면 좌우를 두리번거리며 시간 낭비하지 말고 한시라도 빨리 그만둬라. 나 자신을 위해서도 주변 사람들을 위해서도 그편이 낫다. 그러나 일을 해야겠다고 결정했다면 더 이상 고개를 좌우로 돌리지 말고, 앞에 주어진 일을 직시하라. 마음의 뿌리를 내려라! 어른이 되어 가지고 언제까지 그렇게 주변을 빙빙 돌며 참을성 부족한 아이처럼 투덜거리기만 할 셈인가?

한발 먼저
시작하라

　　21세기 들어서 '스피드'의 중요성이 부각되고 있다. 20세기에는 '자본'과 '기술'이 있어야 부의 확대·생산이 가능했다. 그런데 21세기에는 스피드가 생명이 되었다. 산업화 시대에서 정보화 시대로 접어들면서 기술의 진보 속도가 빨라지자, 대기업의 기본전략도 자연스럽게 '스피드'에 주안점을 두게 된 것이다.

　네트워킹 관련 제품으로 세계 시장을 점유해가고 있는 시스코의 생존전략은 스피드다. 시장의 진보 속도가 워낙 빠르다 보니 자체적으로 제품을 연구·개발하기보다 시장 상황에 필요한 기업을 인수·합병하는 M&A전략을 선택했다.

　"덩치가 크다고 해서 항상 작은 기업을 이길 수 있는 것은 아니다. 그러나 빠른 기업은 느린 기업을 항상 이긴다."

　20년 넘게 M&A전략을 고집해온 시스코의 최고경영자 존 챔버스의 말은 시대의 흐름을 정확히 간파하고 있다.

불과 20대의 애송이였던 마크 저커버그를 세계적인 갑부로 만들어준 페이스북, 소셜 커머스 1위 업체 그루폰, 세계 최대의 온라인 쇼핑몰 알리바바 등등은 혁신적인 생각에다 스피드만 갖춘다면 단기간에 대기업으로 성장할 수 있음을 증명했다.

〈포브스 코리아〉는 해마다 '한국의 부자들'을 발표하는데 IT·바이오·엔터테인먼트 업계를 통해 신흥 부자들이 속속 출현하고 있다. 혁신적인 아이디어와 스피드를 내세운 그들의 약진은 실로 놀라울 정도다. 그들은 공룡처럼 덩치가 거대했던 기존의 느린 기업들을 밀어내고, 한국의 신흥 재벌로 등극했다.

'스피드'에 대한 관심은 기존의 대기업이라고 해서 예외는 아니다. 회사마다 명칭은 다르지만 '기획조정실'이나 '미래전략실' 같은 기업의 핵심 부서에서는 오래전부터 스피드를 경영전략에 반영해 왔다. 대표적인 성공 사례가 자동차와 가전 제품이다. 그 결과 기술력을 빠른 속도로 향상시킴으로써 제품의 신뢰도와 브랜드 이미지를 개선시켰다. 또한 스피드에 중점을 두고 번거로운 절차를 최대한 생략한 애프터서비스로, 세계 최고 수준에 방점을 찍기에 이르렀다.

20세기에는 남들보다 한 발 앞서는 좋은 아이디어가 있어도 자본과 기술이 없으면 성공하기 어려웠다. 그러나 21세기에는 자본과 기술이 없더라도 차별화된 아이디어만 있다면 누구나 성공할 수 있다. 자본과 기술을 중시하는 사회에서 아이디어를 중시하는 사회로 빠르게 바뀌고 있기 때문이다.

그렇다면 남과 차별화되는 '한 발 앞서는 생각'을 가지려면 어떻게 해야 할까? 막연하게 느껴지겠지만 길은 의외로 가까이에 있다.

첫째, 하루를 한 발 먼저 시작하라.

하루를 늦게 시작하면 마음의 여유가 사라져 생각 자체가 가난해진다. 출근을 서두르다 보면 어제와 똑같이 생각하고, 어제와 똑같은 눈으로 바라보고, 회사에 출근해서도 어제와 똑같이 행동하게 된다. 그러나 한 시간이라도 먼저 하루를 시작하면 마음이 풍성해지면서 생각 자체가 부유해진다. 평상시 안 읽던 책을 읽을 수도 있고, 매일 보던 집 안의 가구나 가전 제품을 다른 시각으로 관찰할수도 있다. 굳이 스스로 운전하지 않고 대중교통을 이용해서 출근할 수도 있으니 출퇴근 시간 활용이 가능하다. 또한 시간적·정신적여유가 생기니 회사에서 매일 취급하는 일도 다른 각도에서 접근해볼 수 있고, 나아가 새로운 아이디어를 발견할 수도 있다.

둘째, 한 발 먼저 다가서는 습관을 길러라.

새로운 사람을 만나든, 새로운 정보를 접하든, 새로운 제품을 발견하든, 다른 사람보다 한 발 먼저 다가설 필요가 있다. 사람이든 정보든 물건이든 간에 새로운 것에는 배울 점이 있다. 혁신적인 생각을 하고 싶다면 오픈 마인드를 갖추고, 기꺼이 새로운 것을 받아들이며, 그 신선함을 만끽할 줄 알아야 한다.

셋째, 새로운 이야기에 귀를 기울여라.

인간의 뇌는 자신이 좋아하고 유리한 것만 수용하려는 경향이 있다. 남들보다 한 발 앞서려면 다소 귀찮고 지루하게 느껴지더라도, 새로운 이야기에 귀를 기울일 필요가 있다. 자신의 업무나 전공 분야와 무관하더라도 진지하게 귀를 기울이다 보면 접점을 발견할 것이고, 좀 더 깊이 파고들다 보면 새로운 영감도 얻을 것이다.

마하트마 간디는 "변화를 원한다면 우리 자신부터 변해야 한다"고 했다. 세상의 변화를 주도하고 싶다면 마음가짐은 물론이요, 동시에 행동이 변해야 한다. 더 이상 타인의 눈치를 보지 말고, 한 발 먼저 시작하라!

1등 콤플렉스에서
벗어나라

　　2014년 소치동계올림픽, 쇼트트랙의 심석희 선수는 1,500미터 결승에서 불과 17세의 나이로 은메달을 따고도 국민들에게 죄송하다며 눈물을 흘렸다. 2008년 베이징올림픽, 한국 사격의 간판 진종오 선수는 10미터 공기권총에서 은메달을 따고 국민들에게 죄송하다며 고개를 떨궜다. 외국 선수들은 동메달만 따도 기뻐서 어쩔 줄을 모르는데 왜 한국 선수들은 세계 2등이라는 놀라운 성적을 거두고도 기뻐할 줄 모르는 걸까?

　한국은 정책적으로 국민 모두가 스포츠를 즐기고 그 속에서 뛰어난 선수를 선발해서 대회에 출전시키는 풀뿌리 스포츠가 아닌, 엘리트 스포츠를 채택하고 있다. 특정 소수의 엘리트 선수에게 집중적으로 투자하고, 그들 중 뛰어난 선수를 선발해서 태릉선수촌에 입소시켜 강도 높은 훈련을 시킨 뒤 국제대회에 내보낸다. 그러다 보니 대회에 임하는 선수들의 마음 자세가 남다를 수밖에 없다. 풀뿌리 스포츠 선수들에게는 대회 참가 자체가 영광이지만 엘리트 선수들에게는 메달이 아니면 의미가 없다. 그것도 단 한 명에게만 주어지는 금메달을 따야만 연금도 많이 받을뿐더러 명예와 부를 움켜쥘 수 있다.

반드시 최고가 되어야 한다는 엘리트 현상은 비단 스포츠뿐만 아니라 한국 사회 전반에 퍼져 있다. 이기는 사람이 모든 것을 차지하는 승자 독식 사회는 지나친 경쟁을 부추기고, 다수를 패배자로 만든다. 남들 눈에는 걱정거리 하나 없어 보이는 우등생이 자살하는 이유도 바로 이러한 사회 분위기로 인한 스트레스 때문이다.

최고가 아니면 의미 없다는 사회적 인식이 팽배하다 보니 1등 콤플렉스에 시달리는 직장인이 적지 않다. 회사에서 해외 연수까지 보내 공들여 키운 직원이 개인 사업을 하겠다며 직장을 그만두기도 하고, 말단 직원은 물론 중견 간부들조차 스스로를 '노예'라고 비하한다.

'용의 꼬리보다 뱀의 머리가 낫다'는 속담도 있지만 현대 사회에서도 과연 그럴까? 뱀의 머리가 되면 마음은 편하겠지만 한평생을 우물 안 개구리로 지내야 한다. 용의 꼬리가 되면 넓은 세상을 볼 수 있고, 뛰어난 사람들 속에서 자신의 능력을 개발할 수 있고, 내가 하기에 따라 용의 머리가 될 수도 있다.

정상에 서려면 반드시 맨 앞에서 수레를 끌어야 하는 것은 아니다. 뒤에서 수레를 열심히 밀다 보면 나 역시 정상에 서게 된다. 회사와 나는 둘이 아니다. 회사의 발전은 회사의 발전이고, 나의 발전은 나의 발전이라고 갈라놓으면, 일을 할 때 어디에서 무슨 보람을 찾을 수 있겠는가?

인간은 본능적으로 행복을 추구한다. 행복을 경제적 측면에서 측정한다면 연봉이 높은 CEO가 직원보다 행복할 수밖에 없다. 그러나 인간이 행복을 느낄 때의 감정은 단순한 수치로 측정되는 것이 아니다. 총체적으로 고려했을 때, 무조건 CEO가 직원보다 행복하다고 말할 수는 없다. 어떤 위치에 있든 가장 행복한 사람은 자신의 업무에서 보람을 느끼는 사람이다.

인간은 사냥을 하던 원시 시대부터 일을 해왔다. 자신의 이익과 생존을 위해서이기도 했고, 동료들과 함께 어울리기 위해서이기도 했다. 인간의 삶에서 일과 행복을 분리하려고 노력하면 할수록 행복은 점점 멀어진다.

일을 거부하기보다는 온몸으로 받아들일 필요가 있다. '사장이 아닌 이상 노예에 불과하다'거나 '용의 꼬리보다는 뱀의 머리가 낫다'는 식의 1등 콤플렉스부터 내려놓아라. 현재 직위가 어떻든 간에 회사에서의 나의 직분을 깨닫고, 그에 따른 사명 의식으로 재무장하라.

어떤 일이든 간에 열심히 하면 보람이 따르게 마련이다. 《긍정심리학》의 저자 마틴 셀리그만도 "진정한 행복은 몰입과 의미 찾기, 긍정적 감정의 조합이다"라고 말했다. 회사에 대한 믿음을 갖고, 내가 할 수 있는 최상의 일을 찾아서 집중하라. 업무에 대한 보람은 상사가 지시해서 해냈을 때보다 스스로 찾아서 해냈을 때 더 크다.

지식정보화 사회로 접어들면서 꽉 닫혀 있던 세상의 문이 점점 열리고 있다. 과거에는 회사가 얼마를 벌어서, 직원에게 얼마를 나눠주고, 뒤로 얼마나 감췄는지 알 수 없었다. 현재는 그때에 비하면 많이 투명해져서 분기별 실적을 발표하고, 실적이 좋으면 성과급을 별도로 지불한다. 미래에는 좀 더 투명해져서 내가 열심히 일한 만큼의 연봉을 받게 된다. 모두가 직원이자 CEO인 세상, 용의 머리와 꼬리를 굳이 구분하지 않고 모두가 용이 되는 세상이 점점 다가오고 있는 것이다.

아직은 요원한 이야기처럼 들리겠지만 기업이 점점 투명하게 바뀌고 있는 것만은 분명하다. 종이라고 생각하면 종으로 살고, 주인이라고 생각하면 주인으로 사는 법이다. 일한 만큼의 권리를 누리고 싶다면 자신을 비하하지 말고 주인 의식을 지녀라.

도덕성을
재무장하라

　　　　　현대 사회는 1인이 천 명을 먹여 살리기도 하지만 1인이 천 명을 파산시키기도 한다. 후자의 대표적 인물이 베어링스 은행 파산 사건의 주범 닉 리슨이다.

　　고졸 출신의 닉 리슨은 1985년 영국의 작은 은행에서 단순 업무를 처리하는 은행원으로 사회에 첫발을 내딛는다. 2년 동안 경력을 쌓은 뒤 대형 투자금융 회사 모건스탠리로 옮겼다가 1989년 다시 베어링스 은행으로 자리를 옮긴다. 일반 관리 업무를 담당하던 그는 자카르타로 파견되어 리스크가 높은 채권을 정리하여 보고하는 일을 맡게 된다. 훗날 이 채권들이 무려 2,000퍼센트의 수익을 안겨주자 그의 능력을 높이 산 본사에서는 싱가포르로 발령을 냈고, 선물옵션 등 파생상품 트레이딩과 결제 업무 지휘권을 그에게 맡긴다.

닉 리슨은 수익이 나면 본사에 보고하고 손실이 나면 88888이라는 위장 계좌에 감추는 식으로 본사로부터 능력을 인정받는다. 위장 계좌의 손실액은 쌓여가는데, 1995년 고베 대지진으로 니케이지수가 폭락하자 2천만 파운드의 손실을 입는다. 그는 위장 계좌에 손실액을 감춘 뒤 원금을 회복하기 위해 니케이지수의 빠른 회복을 예상하고 투자액을 늘린다. 그러나 미국 금리정책의 변동 등으로 손실액이 눈덩이처럼 커지자 그는 아내와 함께 도망친다. 결국 며칠 뒤 233년 전통을 지닌 영국 최고의 베어링스 은행은 도산하고, 단돈 1파운드에 ING에 합병된다.

달아났던 닉 리슨은 독일에서 체포되어 싱가포르로 소환되었다. 결국 6년 6개월의 징역형을 선고받고 복역하던 중 대장암 진단을 받고 1999년 석방된다. 수술을 받고 병이 완치된 그는 현재 금융 회사에서 '감사와 준법 감시가 얼마나 중요한가'에 대해 강연을 하면서 살아가고 있다.

닉 리슨은 강연을 시작할 때 자신을 평범한 사람이라고 소개한다. 그는, 베어링스 은행은 200년이 넘는 전통을 지니고 있었지만 증권 업무를 시작한 것은 불과 10년밖에 되지 않았다면서, 자신의 개인적 잘못으로 베어링스 은행이 파산되었다기보다는 위험관리 시스템과 컨트롤 타워가 제대로 작동되지 않았기 때문이라고 역설한다.

그렇다면 과연 베어링스 은행의 파산이 시스템 부재 때문이었을까? 시스템을 갖춘다면 다시는 이런 일이 발생하지 않으리라고 장담할 수 있을까?

2013년 4월 영국 BBC 방송은, 옥스퍼드대학교 미래인간연구소에서 국제 학자들이 모여 논의한 결과를 보도했다. 급속도로 진보하는 기술 수준에 비해서 이를 적절히 통제할 수 있는 토대가 마련되지 않았다는 것이 학자들의 결론이었다. 즉, 인류의 급속한 기술 진보가 인류의 멸망을 부를 수도 있다는 결론이 도출된 것이다.

학자들의 보고서에 의하면, 전염병·자연재해·핵전쟁 등이 발생하면 많은 피해가 예상되기는 해도 인류가 멸망할 정도의 위험은 아니다. 그러나 통제 불가능한 기술의 발전은 결국 어린아이 손에 위험한 무기를 쥐어주는 것과 같아서, 통제 능력이 기술의 속도를 따라잡지 못한다면 인류는 머지않아 위기에 처하게 될 거라고 경고하고 있다.

철학자이자 미래인간연구소 소장인 닉 보스트롬은, 기술 진보와 관련된 인류의 도덕 수준은 어린아이 단계에 머물고 있지만 기술 진보에 따른 변화는 이미 어른 단계로까지 치닫고 있는 것이 문제라고 지적한다. 결국 인류가 진보하는 기술에 걸맞은 높은 도덕 수준을 갖추지 못한다면 인류는 멸망할 수도 있다는 것이다.

세상에 완벽한 시스템은 없다. 나는 베어링스 은행 사건을 다룰 때 시스템 부재 못지않게 중요하게 다뤄야 할 내용이 '시대의 변화에 따른 높은 도덕성'이라고 생각한다. 도덕성에 대한 재교육이 이루어지지 않고 시스템만 정비한다면 제2, 제3의 베어링스 은행 사건은 앞으로도 계속 발생할 수밖에 없다.

시대가 투명해지면서 기업 환경도 변화하고 있다. 과거에는 부조리가 성행했다. 회사에서 봉급을 받으면서 거래처로부터 리베이

트를 받아 챙기는 직원도 있었고, 핵심 부서의 경우에는 여러 경로
를 통해 뇌물을 받아 챙기는 일도 허다했다. 들통만 나지 않으면 능
력 있는 인재로 인정받아 출세 가도를 달렸다.

그러나 이제 기업은 직원 한 사람이 천 명을 먹여 살리기도 하지
만, 천 명을 실직자로 만들 수도 있다는 사실을 잘 알고 있다. 그래
서 회사는 직원의 능력 못지않게 도덕성을 중시한다. 책임과 권한
이 늘어나는 고위 간부일수록 높은 도덕성을 요구하고 있고, 임원
선출 시 도덕성 검증 프로그램으로 자질을 점검하는 기업도 있다.

정몽구 회장님은 일찍부터 '투명경영'을 해왔다. 2003년 1월 기
존의 현대차와 기아차의 구매 담당 부서를 통합한 '구매총괄본부'

가 신설되었다. 당시 기아자동차의 주력 공장인 화성공장의 공장장을 거쳐 국내 영업본부장으로 근무하던 나는 현대·기아차 구매총괄본부장으로 발령받았다.

나는 부임과 동시에 협력업체 간부들 파악에 들어갔다. 그런데 놀랍게도 현대·기아차 출신이 무려 270여 명이나 되었다. 협력업체에서 전직 직원들을 채용해서 소위 '안면 영업'을 해왔던 것이다. 모기업 임직원들과 협력업체 간부가 한솥밥을 먹던 사이이다 보니 내부 정보가 줄줄이 새나갔고, 납품 비리가 끊이질 않았다.

보고서를 올리자 충격을 받은 회장님은 감사팀에게 강도 높은 감사를 벌이도록 지시했다. 그 과정에서 부조리를 자행했던 사람들이 상당수 옷을 벗어야 했고, 오랫동안 유착관계를 형성하고 있던 '전관예우' 관행이 뿌리째 뽑혔다.

구매총괄본부, 품질본부, 연구소 등 협력업체와 연관성이 있는 부서에 근무하는 현대·기아차 임직원들은 부임과 동시에 한 통의 각서를 쓰게 되어 있다.

'본인은 윤리가 기업 경쟁력의 원천임을 깊이 인식하고 현대자동차가 국민에게 신뢰받는 기업이 될 수 있도록 투명경영 실천에 적극 동참할 것을 약속하며 첨부된 직장윤리실천강령을 지킬 것을 서약합니다. 서약 사항을 위반하거나 제3자가 위반하는 것을 방조함으로써 회사의 경영에 차질을 발생시키거나 손해를 끼친 경우에는 어떠한 인사상의 불이익 조치나 처벌을 감수할 것이며 민·형사상 일체의 책임을 질 것을 서약합니다.'

굳이 이런 각서 때문이 아니더라도, 높은 도덕성은 성공하기 위해 반드시 갖춰야 할 기본자세다. 기업은 이익을 추구하는 집단이어서 성과를 요구한다. 그렇다고 결과지상주의에 사로잡혀서 절차나 과정을 부시해서는 안 된다. '모로 가도 서울만 가면 된다'는 식으로 일 처리를 하다 보면 언젠가는 그로 인해 발목이 잡힐 것이다.

다산 정약용은 《목민심서》에서 다음과 같이 말했다.

'청렴은 천하의 큰 장사다. 욕심이 큰 사람은 반드시 청렴하려 한다. 사람이 청렴하지 못한 것은 그 지혜가 짧기 때문이다.'

불법이나 편법을 동원해서 단번에 목표를 달성하려고 하지 말고 황소처럼 뚜벅뚜벅 걸어가라. 앞으로는 높은 도덕성을 지닌 사람만이 인정과 존경을 받으며 높은 자리에 오를 수 있다.

살아온 날들보다
훌륭한 경력은 없다

　　취업난이 심화되고 있다. 지원자가 몰리다 보니 대다수 기업이 서류 심사를 통해 한 차례 거른다. 나름대로 좋은 스펙을 지니고 있다고 자부하는 지원자들은 서류 전형에서 탈락하면 제일 먼저 '자기소개서가 형편없었나?' 하고 의심한다. 다른 곳에 지원할 때는 좀 더 신중해질 수밖에 없다. 지인들에게 자기소개서를 고쳐달라고 부탁하기도 하고, 심지어 자기소개를 대필해주는 곳에 의뢰하기도 한다.

　　그렇게 심혈을 기울여서 자기소개서를 쓰지만 일단 취업하고 나면 자기소개서 따위는 까맣게 잊고 산다. 이런저런 이유로 이직할 때가 되어서야 다시 자기소개서 작성을 놓고 고심한다.

　　인생을 여행에 비유한다면 자기소개서란 일종의 '여행 보고서'다. 그렇다면 이력서는 여행을 하면서 들른 여행지에 비유할 수 있다. 여행을 하다 보면 많은 사람이 동일한 여행지를 지나가기 때문에 이력서만 봐서는 그 사람이 여행을 통해서 무슨 생각을 하고 무엇을 배웠는지 알 수가 없다.

잘 쓰인 자기소개서를 보면 그 사람이 살아온 날들과 함께 그 사람이 어떤 생각을 지니고 있는지를 한눈에 파악할 수 있다. 그러나 막상 면접을 보면 자기소개서와 사람이 일치하지 않는 경우도 허다하다. 글은 얼마든지 고쳐 쓸 수도 있고 대신 써줄 수도 있지만 인생은 대신 살아줄 수 없다. 그러다 보니 글과 사람이 일치하지 않는 것이다.

살아온 날들보다 훌륭한 경력은 없다. 내가 어디서 무슨 일을 하든지 간에 그것이 나의 경력이 된다.

지금은 그렇지 않지만 내가 직장생활을 할 때만 하더라도 처음 입사한 회사에서 정년퇴임하는 경우가 대부분이었다. 그러나 나의 직장생활은 그리 평탄하지만은 않았다.

나는 성균관대학교 법률학과와 연세대학교 대학원을 졸업한 뒤 1966년 봄, 해병대 장교로 임관했다. 전방 소총소대장으로 근무하던 중 주월 청룡부대로 파월, 수색중대 소대장으로서 참전했다. 약 10개월에 걸친 치열한 전투를 끝내고 청룡여단 의장대장과 경비중대장의 직을 무사히 수행한 후 귀국했다. 이때쯤이면 입대 시의 약정대로 제대를 해야 하는데 월남전에서의 초급장교 손실이 많아 본의 아니게 전역이 연장되면서 대위로 진급했다. 그 후 전방부대 보병중대장과 김포, 서울지구 헌병대 헌병중대장을 역임했다. 그러던 중 1973년 가을, 해병대와 해군의 통폐합을 계기로 군(軍)에 대한 미련을 떨치고 꼭 7년 7개월 7일 만에 정들었던 군복을 벗고 사회인으로 돌아왔다.

전역 후 10여 년간 수출입 전문업체인 (주)기린상사와 국가 방위산업체인 (주)D.K.인터나쇼날에서 무역 업무와 방산 업무를 익히던 중 현대차그룹에 근무하던 R 선배로부터 특채 제의를 받았다. 40대에 접어들어 새로운 도전을 하기에는 망설여지기도 했지만, 결국 정몽구 회장님의 면담을 거쳐 특별채용이 되었다. 내가 살아온 그동안의 날들이 곧 나의 이력서이자 자기소개서였던 셈이다.

기업에서 직원을 특별 채용할 때는 나름대로 이유가 있다. 아무 이유도 없이 사람을 끌어다 쓰지는 않는다. 정 회장께서 나를 채용한 이유는 내가 살아온 날들을 보고받고서 회사에 필요한 사람이라고 판단했기 때문이다. 나는 가족들을 서울에 남겨두고 홀로 울산 공장으로 내려갔다.

1987년 6·29 선언 이후 노동운동이 활발해지면서 노사분규가 격화되었다. 노동자들은 중무장을 하고 공장 안을 돌아다녔다. 사건 사고가 끊이질 않았다. 인접해 있던 자동차공장 Y 이사는 쇠파이프에 머리를 맞아 서울아산병원으로 긴급 후송되었고, 다른 공장에서는 회사 대표를 드럼통에 쑤셔넣은 채 굴리고 다니기도 했다.

공장 안에서는 연일 집회와 시위가 이어졌고, 수천 명의 과격 시위대가 수시로 몰려와서 사무실 집기며 비품을 때려 부쉈다. 생지옥이 따로 없었다. 생산 현장의 책임 있는 상급자들은 신변에 위협을 느껴 몸을 피했다. 그러나 나는 사무실을 굳건히 지켰다. 회사는 내가 살아온 날들 때문에 나를 채용했는데, 내가 현지를 이탈해 피신한다면 나를 특별 채용한 회장님과 소개시킨 선배를 속이는 일임과 동시에 나 자신을 기만하는 일이라고 생각했기 때문이다.

프랜시스 베이컨은 "최고의 증거는 단연 경험이다"라고 했다. 경험만큼 확실한 이력서와 자기소개서는 없다. 비록 힘들고 어려운 시절이었지만 그때의 경험은 나의 이력에 보태졌고, 자기소개서가 되었다.

나는 40대 중반이라는 적잖은 나이에 특채되었지만 사실 현대 Mobis의 총무부장 자리가 그다지 요직이거나 출세가 보장되는 자리는 아니었다. 근 10여 년 동안 10여 명이나 교체될 정도로 어려운 자리였다. 하지만 나는 내 자리에서 최선을 다했고, 능력을 인정받아 빠르게 승진했다. 핵심 부서를 돌아다니며 본부장을 역임하다가 모든 직장인의 꿈이라고 할 수 있는 현대제철의 부회장까지 올랐다. 입사 15년 만의 고속 승진이었다.

CEO는 직원들이 자신의 자리에서 얼마나 성실하게 일하나 유심히 지켜본다. 기회는 멀리서 찾아오는 것이 아니고 이미 나에게 찾아와 있다. 내가 회사에서 인정받지 못하고 있다면 아직 그 기회를 살리지 못했기 때문이다.

성공할 수 있는
환경을 조성하라

　　우리는 가난과 역경을 이겨내고 자수성가한 인물의 이야기에 매료된다. 그들의 성공담에는 '고난'과 '눈물', '도전'과 '열정'이 곳곳에 숨어 있어서, 귀를 기울이다 보면 나도 할 수 있다는 자신감이 솟구친다. 그렇다면 과연 개천에서 용이 나는 경우는 얼마나 될까?

　　존스홉킨스대학교 사회학자 칼 알렉산더는 미국 볼티모어의 초등학교 1학년에 입학하는 어린이 800명을 선정하여, 20대 후반까지의 삶을 30년 동안 추적 연구하였다. 연구 결과 아이들의 성공 여부는 태어난 시점의 가정 환경에 의해서 결정되는 것으로 나타났다. 부모가 이혼하지 않은 정상적인 가정에다 경제적으로 풍족한 집안에서 태어난 아이들은 순조롭게 사회에 첫발을 내딛었고, 부모와 비슷한 삶을 살아갔다. 반면, 부모가 이혼하거나 경제적으로 빈곤한 가정에서 태어난 아이들은 부모처럼 빈곤층으로 전락했다.

조사 대상 800명 중 단지 33명만이 빈곤층에서 부유층으로 바뀌었으며, 부유층에서 빈곤층으로 떨어진 아이들은 19명에 불과했다. 대학을 졸업하는 비율 역시 부유층 아이들은 45퍼센트였으나 빈곤층 아이들은 고작 4퍼센트였다.

이 연구 결과는 성장 환경이 성공에 몹시 중요한 요소임을 보여준다. 그렇다면 금수저나 은수저를 물고 태어난 사람만이 성공하는 걸까? 물론 그렇지는 않다. 비록 성공 확률은 그들이 높지만 인간에게는 스스로의 운명을 개척하려는 자유 의지가 있기 때문에 가난한 집안 출신의 아이들도 충분히 성공할 수 있다.

아일랜드 태생의 문필가로 1925년 노벨문학상을 수상한 조지 버나드 쇼는 이렇게 말했다.

"사람들은 항상 자신의 현재 위치는 자신의 환경 때문이라고 불평한다. 그러나 나는 환경 따위는 믿지 않는다. 이 세상에서 출세한 사람들은 자신의 자리에서 일어나 원하는 환경을 찾아 나섰다. 더러 원하는 환경을 찾지 못할 경우, 그들은 자신이 원하는 환경을 스스로 만들었다."

조지 버나드 쇼는 아버지가 곡물 사업에 실패하는 바람에 초등학교만 졸업하고 부동산소개소 사환으로 일하는 등 불우한 어린 시절을 보냈다. 그 역시 원하는 환경을 스스로 만들어서 성공을 거둔 입지전적인 인물이다.

성공하기 위해서는 제일 먼저 환경을 바꿔야 한다. 그렇다면 성공 환경은 어떻게 만드는 걸까?

첫째, 성공 마인드를 갖춰야 한다.

인간의 운명은 스스로 바꿔야겠다는 강한 의지를 갖지 않는 한 절대 바뀌지 않는다. 어제 같은 오늘, 오늘 같은 내일이 끝없이 이어질 뿐이다. 성공하고 싶다면 성공에 대한 강한 의지를 갖고 정신 무장을 새롭게 해야 한다. 성공 마인드를 제대로 갖추고 나면 비로소 성공을 향해 서서히 움직이게 된다. 당장 해야 할 일들이 눈에 보이기 때문이다.

둘째, 미래에 대해서 투자해야 한다.

기업이 미래를 준비하듯, 개인도 시간과 돈을 투자해서 미래를 준비해야 한다. 외국어를 배우거나 자격증을 따거나 꾸준한 독서를 통해서 개인 역량을 강화하지 않으면 새로운 기회가 찾아와도 붙잡을 수 없다. 세상은 빠르게 변화하고 있기 때문에 꾸준히 공부해야만 그 흐름을 놓치지 않고 따라갈 수 있다.

셋째, 인정을 받아야 한다.

성공하기 위해서는 반드시 주변 사람들로부터 인정받을 필요가 있다. 모든 사람에게 인정받으면 좋겠지만 그럴 수 없다면 몇몇 사람에게라도 인정을 받아야 한다. 한 분야의 전문가로든, 성실성으로든, 대인관계의 달인으로든 특정 분야에서 인정을 받으면 훗날 반드시 성공으로 가는 도약 길이 열린다.

넷째, 인맥을 넓혀야 한다.

친구를 보면 그 사람을 알 수 있다는 말도 있다. 마음에 맞는다고 해서 끼리끼리만 몰려다녀서는 발전을 기대할 수 없다. 인맥관리의 기본 원칙은 'Win - Win'이다. 다소 불편한 관계일지라도 인맥을 맺어놓고 잘만 활용하면 나를 높은 곳으로 끌어올려주고, 밀어올려준다. 인맥관리도 일종의 지능이다. 처음에는 어설플지라도 꾸준히 관리하다 보면 인맥관리의 지능도 발달한다.

꽃향기를 맡고 싶다면 꽃밭에 가야 하고, 배가 고프다면 식당에 가야 하듯이 성공하고 싶다면 성공할 수 있는 환경을 만들어야 한다. 처음이 어렵지 일단 환경만 만들어놓으면 정원을 가꾸듯이 꾸준히 관리하면 된다.

알렉산더의 연구에서 나타나듯, 운명을 개척하겠다는 의지가 없다면 우리의 미래는 지금보다 더 나아지지 않는다. 인생의 행복은 오늘이 어제보다 낫다는 사실을 발견할 때 찾아온다. 《신곡》으로 널리 알려진 단테는 "우리가 행복했던 시절을 비참한 환경 속에서 생각해내는 것만큼 더 큰 슬픔이 또 있을까" 하고 반문하였다. 오늘보다 나은 삶을 원한다면 더 늦기 전에 성공 가능한 환경을 조성하라.

소통 능력자가 되고 싶다면
책을 읽어라

소통이 대세다. 소통의 방법에는 여러 가지가 있지만 그중 대표적인 것이 경청이다. 상대방의 이야기에 귀를 기울이다 보면 원활한 소통이 가능해진다.

물론 경청은 소통하는 좋은 방법이다. 하지만 무작정 경청한다고 소통이 이루어지는 것은 아니다. 제대로 소통하려면 제대로 경청해야 한다. 제대로 경청하기 위해서는 상대방의 이야기를 흥미롭게 들을 수 있고, 맞장구쳐줄 수 있는 일정 수준의 지식이 필요하다.

나는 독립유공자이며 언론계 원로이신 부친과 동양화가이자 공예 전문가인 모친을 모셔 비교적 유복하게 자랐기 때문에 어려서부터 문화적인 풍요로움을 누리며 살았다. 책이 읽고 싶으면 서점이나 도서관이 아닌, 서재에 가서 고르면 될 정도였다.

학창 시절 나는 어니스트 헤밍웨이와 셰익스피어, 그리고 데카

르트와 칸트에 심취했다. 특히 헤밍웨이의 단편소설 〈킬리만자로의 눈〉을 좋아해서 여러 차례 거듭 읽곤 했다. 꿈속에서 눈 덮인 킬리만자로 정상을 볼 정도로 말이다.

헤밍웨이의 영향이었을까, 청춘의 피가 들끓었기 때문일까. 나는 유도부와 등산부, 야구부와 스키부에서 활동하며 호연지기를 키웠다. 그리고 그때만 해도 쉽지 않던 고공낙하 같은 고난도 운동에 젊음을 불태우곤 했다. 대학을 졸업하고 7년 7개월 군 복무를 할 때도 틈틈이 책을 읽기는 했다. 그러나 체계적인 독서는 아니었다.

내가 본격적으로 독서를 시작한 것은 직장생활을 하면서부터였다. 군대가 일곱 가지 색깔의 개성을 지닌 사람들이 공존하는 곳이라면 사회는 수백 가지 색깔의 개성을 지닌 사람이 공존하는 곳이다. 처음에는 나와 비슷한 부류의 사람들과 어울렸다. 그편이 어울리기도 쉽고 재미도 있었다. 그러나 사회생활에 연륜이 쌓이고 직위가 올라갈수록, 다양한 사람들과 어울릴 필요성을 느꼈다.

사람들은 대화할 때 듣기보다는 말하기를 좋아한다. 상대의 이야기를 귀담아 듣다가도 틈만 나면 자신의 경험이나 취미, 생각 등을 말하려고 드는 게 일반적인 경향 아니던가! 나도 처음에는 나와 다른 색깔의 개성을 지닌 사람을 만날 경우, 친해지기 위해서 맞장구도 치면서 무작정 경청했다. 그렇게 상대의 호감을 사는 데는 성공했지만 지식이 부족하다 보니, 아무리 경청하고 맞장구를 쳐도 넘을 수 없는 벽 같은 게 느껴졌다.

'벽을 허물 방법이 없을까?'

나는 고민하다가 좀 더 친해지고 싶은 사람의 전공이나 관심 분야에 대한 책을 읽기 시작했다. 몇 개월이 지나자 효과가 나타났다. 어느 순간, 내 앞에 가로놓인 채 꿈쩍도 하지 않던 벽이 사라졌고, 사람들은 오랜 지인처럼 나를 대해주었다.

'대인관계에서 이보다 좋은 방법은 없구나!'

그때부터 주변 사람들과 관련된 전공이나 관심 분야를 알고 나면 그에 대해 본격적으로 독서를 시작했다. 워낙 주변 사람도 많고 만나는 사람도 다양하다 보니 초반에는 책 읽기가 다소 힘겨웠다. 그러나 세월이 지나고 어느 정도 지식이 쌓이자 주변 사람들과 거래처 사람들의 이야기를 제대로 경청할 정도의 지식을 갖추게 되었다. 탁월한 경청 능력은 사람들이 마음의 문을 활짝 여는 데 톡톡한 역할을 했다. 상사들은 중요한 일이 있으면 허심탄회하게 내 의견을 물었고, 부하 직원들은 친형처럼 따랐으며, 거래처 직원들은 나를 오랜 친구처럼 대했다.

직장을 현대자동차 그룹으로 옮기고 나서는 훨씬 방대한 양의 책을 읽어야 했다. 직원 수가 많으니 그만큼 개성도 다양했고, 전공도 다양했고, 관심 분야도 다양했다. 부하 직원은 물론이고 상사도 '동지'에 목말라 있었다. 공석에서든 사석에서든 관심을 갖고 그들의 이야기를 진지하게 들어주고, 관심 분야에 대해서 같이 토론하면 무척이나 기뻐하며 행복해했다. 그들의 기쁨과 행복은 일을 통해서 성과로 나타났다.

나는 30대 중반부터 독서를 생활화했다. 무슨 일이 있어도 하루 한 시간은 책을 읽으려고 노력했다. 독서 양이 늘어나면 지식적으로든 인격적으로든 성장하게 마련이라는 말을 굳게 믿었기 때문이

다. 나는 책을 단순히 읽는 데 그치지 않고, 책을 통해 익힌 지식을 사람들과 대화할 때 최대한 활용했다. 상대방의 이야기를 듣고 고개를 끄덕일지라도 지식이 있고 없고의 차이가 눈빛이나 몸짓에서 드러나기에 나의 노력은 인간관계에서 빛을 발했다고 자평할 수 있겠다.

미국의 제32대 대통령 루스벨트는 "사람은 죽어도 책은 결코 죽지 않는다. 어떤 힘도 기억을 제거할 수는 없다. 책은 무기이다"라고 말했다. 군인이 전쟁터에서 총을 들고 싸우듯이 사회인이라면 책을 들고 싸워야 한다. 독서는 난관을 헤쳐나갈 수 있는, 쏟아지는 비난으로부터 나를 지킬 수 있는, 나와 동료를 구할 수 있는 훌륭한 무기다.

소통 능력자가 되고 싶다면 책을 읽어라. 사람은 사람다운 대접을 받을 때 비로소 행복을 느낀다. 최고급 음식점에서 접대받으면서 방아깨비처럼 머리를 끄덕이며 박장대소하는 얼치기들을 보는 것보다는, 비록 다 쓰러져 가는 허름한 음식점일지라도 내 관심 분야에 진지하게 귀를 기울여주는 지인을 만날 때 더 큰 만족을 느낀다. 그것이야말로 제대로 된 접대요, 소통이다.

하루에 한 시간은 반드시 책을 읽어라! 지위가 높을수록, 나이가 많을수록 다양한 종류의 책을 읽어야 한다. 나이를 먹으면 저절로 연륜이 쌓일 거라고 착각하지 말자. 나이를 먹을수록 쌓이는 건 주름살뿐이다. 제대로 된 연륜이란 세월의 흐름과 함께 생각의 폭이 넓어질 때 비로소 쌓이는 것이다.

고난 극복 유전자를
발동시켜라

　　　　　P씨는 회사에서 구조조정 바람이 불자 명예퇴직했다. 일시불로 받은 돈과 퇴직금을 합쳐서 인기 상승 중인 프랜차이즈 가맹점을 냈다. 그토록 원했던 자영업자가 되었지만 인기가 시들해지는 바람에 18개월 만에 손을 털었다. 집에서 빈둥거리다가 대학 동창이 하는 완구 사업에 동업자 형식으로 뛰어들었다. 사업이 잘되는가 싶었는데 동창의 배신으로 3년 만에 완전히 파산했다.

　졸지에 빚더미에 앉게 된 P씨는 밤낮으로 술병을 끼고 산다. 그가 때늦은 후회와 자책감에 사로잡혀 있는 동안 아내는 식당에서 밤늦게까지 일을 해야 했고, 고등학교 다니는 아들은 가출했다. 대학 다니던 큰딸은 휴학을 하고, 현재 아르바이트를 하고 있다. 가정이 풍비박산하자 그는 더 큰 후회와 자책감에 사로잡혔고 하루하루를 겨우겨우 견뎌내고 있다.

S씨는 이남 일녀를 둔 가정주부다. 그녀는 종종 초등학교 6학년 생 막내에게 잔심부름을 시켰다. 그날도 평상시처럼 아파트 단지 내에 있는 슈퍼마켓은 비싸니까 도로 건너편의 대형마트에 가서 두 부와 콩나물을 사오라고 시켰는데 사고가 났다. 자전거를 타고 도로를 건너려다 승용차에 치여서 숨진 것이다. 그녀는 자신 때문에 아들이 죽었다며 후회와 자책감에 사로잡혀 괴로워하다 우울증에 걸렸다. 남편은 그녀가 금방이라도 아파트에서 뛰어내릴 것만 같아 직장을 그만두고 옆을 지키고 있다. 공부를 곧잘 했던 큰애와 무용에 재능을 보이던 둘째는 '가정'이라는 중심축이 흔들리자 학업과 무용에 흥미를 잃고, 밤거리를 배회하며 방황하고 있다.

인생을 살다 보면 행복도 찾아오고 불행도 찾아온다. 행복은 오래도록 머물게 하고, 불행은 한시라도 빨리 내보내는 게 인생을 잘 사는 비결이다. 그런데 한국인은 행복이 찾아왔을 때는 마음껏 기뻐하지도 못하고, 불행이 찾아왔을 때는 빨리 내쫓지 못하고 장시간을 머물게 한다.

형상기억합금이라는 게 있다. 복원력이 뛰어나서 기계 부품, 자동차, 의료 기기, 안경테, 옷과 같은 여러 분야에 이용된다. 우리의 내면에는 고난이 닥쳤을 때 형성기억합금처럼 원래대로 되돌아갈 뛰어난 복원력이 숨어 있다.

나는 청룡부대 전투소대장으로 월남전에 참전했을 때 수많은 생

사의 고비를 넘겼다. 나를 가장 힘들게 했던 것은 죽음이 아니었다. 죽음은 막상 대면해보니 상상했던 것만큼 두렵지 않았다. 단지 소망이 있다면 포탄이나 총탄에 맞아서 반신불구가 되느니 심장이나 머리에 맞고 깨끗하게 죽고 싶다는 것뿐이었다.

나의 죽음보다 더 두려웠던 것은 부하들의 죽음이었다. 수색 정찰대로 최전방에 서서 적이 어디에 숨어 있는지도 모르는 밀림을 헤치며 수많은 작전을 수행하다 보면, 아무리 조심해도 불시에 부딪히는 적과의 교전은 피할 수 없다. 전투 중에 내 팔과 다리 같은 부하들이 수없이 죽었다. 나 역시 '괴룡 3호작전'을 수행할 때 적의 실탄이 철모를 뚫고 들어와 파이버에 박히는 절체절명의 위험을 겪기도 했다.

작전을 마치고 본대로 돌아오면 전공을 얼마나 세웠든 간에 나의 머릿속에는 온통 전사자와 부상당한 부하들 생각뿐이었다. 나이는 불과 서너 살 차이였지만 나는 병사들의 형이자 아버지였다. '좀더 잘해줄 걸……' 하는 후회와 '내가 제대로 명령을 내렸더라면 부하들을 살릴 수 있었을 텐데……' 하는 자책감에 사로잡히곤 했다.

그러나 나만을 바라보고 있는 병사들의 초롱초롱한 눈빛을 대하노라면 자책감과 후회에 마냥 사로잡혀 있을 수는 없었다. 죽은 부하들을 생각하면 가슴이 찢어지지만 살아남은 부하들은 어떻게든 살려서 귀국시켜야겠기에 마음을 다잡으며, 후회와 자책감의 미로 같은 늪에서 빠져나오곤 했다.

인간은 혼자서 세상을 살아가는 것 같지만 혼자서는 살아갈 수 없다. 니체의 말처럼 인간의 가치는 타인과의 관계로서만 측정될 수 있다. 내가 만약 부하들의 죽음에 대한 자책감과 후회에 계속 사로잡혀 있었다면 나는 물론이고 나머지 부하들도 결코 살아서 귀국하지 못했으리라. 세상 그 무엇과 비교할 수 없는 더없이 소중한 부하들을 잃고도 형상기억합금처럼 일상으로 복귀할 수 있었던 가장 큰 힘은 사명감이었다.

우리는 세상을 살아가는 한 사명감으로부터 자유로울 수 없다. 결혼을 하면 남편과 아내로서의 사명감을 가져야 하고, 아이를 낳으면 부모로서의 사명감을 가져야 한다. 사업 실패로 전 재산을 날린 P씨에게는 돈보다도 소중한 가족들이 있지 않은가? 사고로 막내아들을 잃은 S씨에게는 남편과 다른 아이들이 있지 않은가? 언제까지 자책감과 후회의 미로 속에서 헤매고 있을 셈인가.

맛있다고 해서 곶감만 빼먹고 살 수는 없듯이, 인생도 마찬가지다. 살다 보면 행복도 찾아오고, 불행도 찾아온다. 아직까지도 후회와 자책감이라는 무거운 짐을 지고 있다면 이제 그만 내려놓아라. 고개를 들고 주변을 돌아보라. 나를 사랑하는 사람들의 눈빛을 보면서 그들에게 지금까지 못해주었던 것들을 이제부터 해주겠다는 각오로 살아라.

인류는 오랜 세월 동안 수많은 고난을 극복해왔다. 우리의 몸속에는 뛰어난 고난 극복 유전자가 잠재해 있다. 새로운 삶을 살겠다는 각오를 다졌다면 소리 내서 "후회와 자책감은 이제 그만!"이라고 말해보라. 마치 입 안에 머금고 있던 수박씨를 내뱉듯이 뱉어내면 그 순간부터 고난 극복 유전자가 발동하기 시작한다.

새로운 출발을
두려워하지 마라

　　꽃밭 위를 폴폴 날아다니는 나비의 날갯짓은 무척
이나 가벼워서 나비에게는 그 어떤 고난이나 두려움도 없어 보인
다. 그러나 아름다운 나비의 날갯짓 이면에는 고난과 두려움의 시
간들이 응축되어 있다.

　　나비는 알에서부터 시작해서 애벌레, 애벌레에서 번데기, 번데
기에서 나비로 탈바꿈한다. 기존의 나의 모습을 버리고 새로운 모
습으로 변신하기 위해서는 용기가 필요하다. 현재의 상태에 머물기
를 바란다면 결코 나비처럼 아름다운 날개를 가질 수 없다. 나비의
날개는 용기와 고난의 산물이다.

　　세상의 가치 있는 것들은 그냥 주어지지 않는다. 주인이 될 자격
이 있는지 시험하고 때로는 대가를 요구한다. 새로운 세계의 문을
열고 들어선다는 것은 두려운 일이지만 현명하게 대처할 자세가 되

어 있다면 더없이 좋은 기회로 삼을 수 있다.

인생에는 다양한 변수가 존재한다. 미키마우스, 도널드 덕 등의 수많은 유명 캐릭터를 만들고 테마파크 '디즈니랜드'를 세운 월트 디즈니는 첫 직장이었던 신문사에서 창의성이 부족하다는 이유로 쫓겨났다. 그는 새로운 출발을 해야 했고, 몇 번의 시행착오를 겪고 나서야 크게 성공할 수 있었다. 이처럼 우리 주변에는 고난과 위기를 기회로 만든 수많은 월트 디즈니가 존재한다.

인생을 살다 보면 누구나 몇 번은 새로운 출발선상에 서게 된다. 나 역시 여러 번 새로운 출발선이 있었는데, 큰 줄기를 든다면 두 차례였다.

첫 번째는 전역할 때였다. 대학을 졸업하고 월남전까지 참전하며 해병대 장교로 3년간 의무복무를 마쳤지만 국가에서는 전역을 시켜주지 않았다. 월남전에서 희생된 초급장교들의 부족으로 국방부의 장교 수급 계획에 차질이 생겼다는 게 그 이유였다. 나는 기왕에 이렇게 된 것, 군에서 최선을 다해보자고 마음먹었다.

군에서 오르는 데까지 올라보자 작정하고 군인의 길에 충실하고 있는데, 1973년 가을 정부 시책에 따라 자랑스럽던 해병대 깃발이 하루아침에 내려지고 해군으로 예속 통폐합되는 사태가 빚어졌다. 상사들은 군대에 남아주기를 바랐지만 나는 갈등하다가 소령 진급을 목전에 두고 고참 대위로 전역했다. 30 고비를 막 넘길 때였다.

두 번째는 45세 때였다. 현대Mobis 총무부장으로 이직할 때였다. 얼떨결에 선배의 소개로 정 회장님과 면접까지 보았지만 결정을 내리기란 쉽지 않았다. 10여 년을 몸담아온 회사로 돌아와 미국

지사에 체류 중이던 K 회장에게 퇴직 요청을 하니 즉시 지사로 와서 보고하란다. 자초지종을 들은 K 회장이 의외로 흔쾌히 수락해 주었다.

"그래! 큰물에서 놀다가 정상에 오르면 다시 만나자!"

K 회장은 나를 당신의 사업을 이을 차기 후계자로 점찍어놓은 상황이었지만 차고 있던 손목시계까지 풀어 건네며 앞길을 격려해 주었다.

나는 가족들을 서울에 남겨둔 채 일종의 불투명한 안갯속을 더듬는 마음으로 경상남도 울산으로 내려갔다. 특채로 채용된 나를 반기지는 않을 거라고 예상했는데, 그 예상은 정확히 맞아떨어졌다. 출근했지만 한동안 나에게 그 어떤 일거리도 주지 않았다. 고위 간부들은 나를 임직원들의 동태를 감시하기 위해 본사에서 보낸 첩자라고 단정했다. 나는 나에게 접근하는 것 자체를 모두 꺼리는 분위기에서 철저히 외면당하는 형국을 맞았다.

'내가 왜 몸도 마음도 편하게 지낼 수 있었던 직장을 팽개치고 여기에 내려온 걸까? 이 나이에 무슨 영화를 보겠다고…….'

때늦은 후회가 파도처럼 밀려들었다. 그러나 언제까지 후회만 되씹고 있을 수는 없는 일이었다. 군인에게는 군인의 본분이 있듯이 직장인에게는 직장인의 본분이 있는 법! 그 어떤 일거리도 주지 않았지만 나는 내가 해야 할 일을 찾아서 묵묵히 해냈다. 고치를 벗고서 멋지게 날 준비를 하며 동면하는 번데기처럼…….

지금에 와서 돌아보면 해병대를 전역한 것도, 직장을 옮긴 것도 훌륭한 선택이었다. 내가 훌륭한 선택이었다고 자평할 수 있는 까닭은 결과가 좋았기 때문이다. 〈끝이 좋으면 다 좋아〉라는 셰익스피어의 희곡 작품처럼 결과가 좋으면 선택마저 올바른 것이 된다.

우리는 사의든 타의든 간에 새로운 출발선상에 서야 한다. 학교를 중간에 그만두고 사회에 첫발을 내딛거나, 졸업하거나, 전역하거나, 실직하거나, 이직하거나, 전출하거나, 이민하거나, 창업하거나……. 그 어떤 경우라도 지나치게 두려워하지 마라. 오히려 적당한 긴장감은 실력을 발휘하는 데 도움이 된다. 그러나 지나친 긴장과 두려움은 실수를 불러온다.

길게 심호흡을 한 뒤, 자신감을 갖고 첫발을 내딛어라. 이제부터 나의 선택이 옳았음을 결과로 증명하면 된다. 자신감이야말로 승리를 향한 첫 번째 비결이다.

한 걸음이라도
일단 떼어라

　　나는 수많은 운동경기 중계방송을 보느라 밤을 새우는 일이 부지기수였다. 그중 인상 깊었던 경기를 꼽으라면, 박세리의 US오픈을 제일로 친다.

　1998년 IMF 금융위기로 국가 경제가 휘청거릴 때였다. 메이저 대회인 US여자오픈골프 플레이오프 연장 18번 홀에서 박세리가 친 공이 워터해저드 경사면 러프에 빠졌다. 순간, 승리를 염원하며 중계하던 아나운서의 입에서 탄식이 터져 나왔다. 박세리는 잠시 고민하다 신발과 양말을 벗고 해저드로 들어가서 공을 걷어 올렸다. 패배 분위기가 짙은 상황이었지만 박세리의 침착한 대응은 플레이오프를 무승부로 이끌어냈다. 위기 상황에서도 끝까지 포기하지 않았던 박세리는 결국 서든데스에서 승리를 쟁취해냈다. 아나운서는 물론이고, 손에 땀을 쥐고 지켜보던 국민들은 일제히 환호했다. 그날의 화제는 단연 박세리였다.

경제적으로 어려운 시기였지만 LPGA에서 한국 선수들은 맹활약을 벌였다. 그러자 부모들은 아이들의 손에 골프채를 쥐어주었다. 그 결과 박인비, 신지애, 최나연, 김인경, 오지영 등등 수많은 '박세리 키드'를 낳았고, 한국은 짧은 골프 역사를 지녔음에도 불구하고 세계 여자 골프계를 호령하는 골프 강국이 되었다.

그렇다면 '박세리 키드'의 부모들은 어린 자식을 골프장으로 데리고 가면서 내 아이가 훗날 세계적으로 유명한 선수가 될 걸 알았을까? 인간은 신이 아닌데, 어찌 미래를 정확히 예측할 수 있겠는가. 아마도 소망은 있었겠지만 확신은 없었으리라. 부모들은 그저 아이가 꿈을 향해서 한 걸음을 내딛게 도와줬을 뿐이다. 별것 아닌 것 같지만 아이가 내딛은 한 걸음의 가치는 참으로 소중하다. 그 한 걸음이 있었기에 오늘날의 그녀들이 탄생하지 않았는가!

인간은 누구나 꿈을 꾼다. 그러나 그 꿈을 향해서 도전하는 사람은 많지 않다. 그 이유는 한 걸음을 쉽게 떼지 못하기 때문이다.

현대인들은 지나치게 계산에 익숙해져 있다. 무슨 일이든 시작하기 전에 계산부터 한다. 일단 일을 저질러놓고 보는 돈키호테형은 찾아보기가 힘들다. 햄릿처럼 밤새 고민하고 계산해보지만 쉽게 결정을 내리지 못한다. 보다 못해 왜 시작하지 않느냐고 물으면 대개는 "준비가 아직 덜 돼서……"라고 대답한다.

무슨 일을 시작하는 데 완벽한 시기란 없다. 생각은 일단 한 걸음을 떼고 나서 시작해도 늦지 않다. 일단 한 걸음을 떼놓고 보면 구체적으로 어떤 걸 준비해야 하는지, 적성에는 맞는지, 나에게 어

느 정도 재능이 있는지, 과연 성공 가능성이 있는지 등등을 알 수 있다.

파울로 코엘료의 소설 《알레프》에는 이런 문장이 나온다.

'나는 깨닫는다. 내가 항상 같은 곳에만 머물러 있다면 내가 원하는 곳에 결코 도달할 수 없으리라는 것을⋯⋯.'

주말이 되면 수많은 직장인이 소파에 누워서 산 정상을 꿈꾼다. 그러나 아무리 열심히 산 정상을 꿈꿔도 소파에서 등을 떼지 않는 한 절대로 정상에 설 수 없다. 등산을 좋아하는 사람이라면 다들 알고 있겠지만 정상에 오르는 비결은 의외로 간단하다. 등산복을 입고, 배낭을 메고, 현관문을 나와서, 한 걸음을 내딛기만 하면 된다. 시작이 반이라고, 한 걸음만 내딛으면 산 정상에 설 확률은 50퍼센트가 넘는다.

꿈은 반드시 이뤄야지만 가치가 있는 것은 아니다. 물론 꿈을 이룰 수 있다면 더할 나위 없이 좋겠지만 단지 꿈을 꾸는 것만으로도 가치는 충분하다. 일단 꿈을 꾸면 꿈을 이루었을 때의 기쁨과 행복을 조금씩 맛볼 수 있고, 꿈을 향해 다가가는 과정에서 상상만으로는 배울 수 없는 수많은 것을 실제적으로 배우게 된다.

나는 꿈 많던 학창 시절 쇼펜하우어의 글을 읽고, 스펜서 트레이시가 출연했던 에드워드 드미트릭 감독의 영화 〈더 마운틴〉을 보고 전문 산악인이 되기를 꿈꾸었다. 대학교 입학 후 곧장 산악부에 들었고, 동기와 선후배들과 함께 산을 타면서 호연지기와 예의범절, 협동심, 동지애, 인내, 배려, 리더십 등등을 배웠다. 비록 생각과 환경이 바뀌어서 전문 산악인이 되지는 못했지만 그때 내딛은 첫걸음은 인생을 살아가는 데 훌륭한 밑거름이 되었다.

군인의 길을 택했을 때는 군의 최정상을 꿈꾸기도 했다. 내 양어깨에 찬란한 별을 달 수 있을지 여부는 모르는 상황이었지만 일단 별을 꿈꾸기 시작하자 모든 것이 바뀌었다. 다른 군인의 모범이 되어야 한다는 생각에 아무 대가 없이 나를 희생할 수 있었고, 어려운 순간에서도 리더십을 발휘할 수 있었으며, 치솟는 욕망을 절제할 수 있었다. 별을 다는 꿈 역시 환경이 바뀌고 생각이 바뀌어 이루지는 못했지만 그때 내딛은 한 걸음은 내 인생을 풍요롭게 했다.

우리는 이분법에 익숙해 있어서 무슨 일이든 성공과 실패로 나누려는 안 좋은 습관을 갖고 있다. 꿈을 향한 도전에는 성공만 있을 뿐 실패는 없다. 비록 그 한 걸음이 무산되더라도 그건 결코 실패가 아니다. 더 큰 꿈을 향한 성공이요, 밑거름일 뿐이다.

순자는 시작의 중요성에 대해 이렇게 말했다.

"발걸음을 쌓지 않으면 천 리를 갈 수 없고, 작은 시냇물이 모이지 않으면 강물을 이룰 수 없다."

하고 싶은 일이 있다면 주저하지 말고 시작하라. 일단 한 걸음을 내딛고 나면 인생에서 성공을 발견할 가능성이 그만큼 높아진다.

상황이 힘들고 어려울지라도
자신감을 잃지 마라

M씨는 의류업계에서 일하다 독립해서 패션 관련 사업을 시작했다. 워낙 똑똑한 데다 자신감에 차 있어서 모두가 그의 성공을 예감했다. 그는 소규모로 시작했지만 초창기에는 마이더스의 손이라 불릴 정도로 내놓는 제품마다 히트를 쳤다. 수익이 늘자 그는 점점 회사 규모를 키워 나갔다.

신이 그의 성공을 시기한 걸까? 가파른 상승 곡선을 그리던 매출이 주춤하는가 싶더니 하강 곡선을 그리기 시작했다. 외부 전문가의 도움까지 받아가며 야심차게 준비한 신제품을 출시했지만 반응은 형편없었다. 반품 물량을 감당하기 힘들 지경이었다. 사업이 어려워지면서 발행했던 당좌수표와 어음을 막으러 정신없이 뛰어다니고 있는데 아내가 복부 통증을 호소했다.

지병인 위장성 소화불량이겠거니 했는데 어느 날 보니 아내의 몸이 부쩍 야위어 있었다. 황달 증세도 나타나고 있어서 부랴부랴 병원에 데려가 정밀 검사를 받았더니 췌장암이었다. 때늦은 후회와 자책감에 지극정성으로 돌봤지만 아내는 결국 6개월 만에 세상을 떠나고 말았다.

장례를 치르고 나니 상실감, 허탈감과 함께 밑도 끝도 없는 졸음이 밀려왔다. 몸이 물먹은 신문지마냥 축축 처지면서 세상만사가 귀찮기만 했다. 병원에 가서 검사를 받아보니 간 기능 수치가 상당히 높았다. 집에서 약을 먹으며 며칠 쉬다 보니 축 늘어져 있는 아이들이 눈에 들어왔다. 정신이 번쩍 들었다.

'아, 내가 이러고 있을 때가 아니야!'

M은 재기 의욕을 다졌다. 장례를 치르고 열흘 만에 회사에 출근해보니 직원들은 보이지 않고 빚쟁이들이 진을 치고 있었다.

지인들에게 돈을 구하러 다니는 그에게서 예전의 총명하고 자신감 넘치던 모습은 찾아볼 수 없었다. 건전지 수명이 다한 인형처럼 넋이 반쯤 나가 있었다. 점심을 먹는데 담임에게서 고등학교 다니는 큰딸이 이틀째 무단결석했다는 전화가 걸려왔지만 그는 놀랄 힘도 없는지 잠자코 듣고 있다가 말없이 수화기를 내려놓았다.

살다 보면 총체적 난국에 빠질 때가 있다. 주변 상황이 하나씩 나빠지면 자신감은 한겨울의 수은주처럼 뚝 떨어지고, 자신의 능력마저 회의하게 된다. 그러나 그럴 때일수록 자신감을 갖고 몸을 움직여야 한다.

내가 월남전에 참전했을 때의 일이다. 작전을 마치고 귀환하는

정글 속에서 중대 전체가 길을 잃은 적이 있었다. 날이 저문 데다 비까지 추적추적 내리다 보니 도무지 어디가 어딘지 방향을 잡을 수 없었다. 우리는 다람쥐 쳇바퀴 돌듯 밀림 속을 맴돌았고, 시간이 지나자 부하들의 불안해하는 기색이 점차 역력해졌다. 방향 감각도 잃은 데다 사기는 땅에 떨어질 대로 떨어져 있어서, 혹시 적의 기습이라도 받게 된다면 큰 타격을 입을 상황이었다. 중대장 지순하 대위조차도 난감해하고 있어서 내가 나섰다.

"이쪽입니다!"

"김무일 중위, 확실한가?"

"네! 확실합니다!"

나는 모든 대원이 들을 수 있도록 자신 있게 대답했다. 중대는 전열을 정비해서 다시 사방경계를 하며 이동했고, 우여곡절 끝에 밀림을 벗어날 수 있었다. 여단본부로 복귀했을 때 중대장이 다시금 물었다.

"김 중위, 정말 방향을 확실히 알고 있었나?"

"아닙니다. 실은 저도 몰랐지만 누군가는 확신을 해야 할 위기였기에 나섰습니다!"

그 위급 상황에서 중대장 앞에서는 자신 있게 말했지만, 나 역시 모르고 있었던 것이 사실이다. 총체적 난국이었지만 단지 의기소침한 채 무기력하게 날이 밝기를 기다리고 있는 것보다는 움직이는 게 더 낫다고 판단했을 뿐이다.

《비행공포》의 저자 에리카 종은 "아무런 위험을 감수하지 않으면 더 큰 위험이 찾아온다"라고 경고했다. 전투를 치르다 보면 수비보다 공격이 더 안전할 때도 있다. 위험을 감수하고서라도 선공하지 않으면 적의 기습을 받아 전멸할 수도 있기 때문이다.

인생 또한 마찬가지여서 어느 정도 위험쯤은 감수해야 한다. 비록 현재 상황이 좋지 않고, 미래가 어떻게 펼쳐질지 몰라 불안하더라도 멈추지 마라. 이리저리 움직이다 보면 사라졌던 자신감도 다시 생기고 상황도 점차 개선된다. 상황이 자신감을 만들기도 하지만 때로는 자신감이 상황을 만들기도 하는 법이다.

인생의 성공 여부는
위기 상황에서 판가름 난다

경기에 사이클이 있듯이 인생에도 사이클이 있다. 사이클의 주기와 폭은 사람마다 다르지만 패턴은 비슷하다. 서서히 상승해서 정점을 찍은 뒤 추락했다가 바닥을 찍는다. 그런 다음 일정 시간이 지나면 다시 상승하기 시작한다.

사회적 관점에서의 성공 여부는 정점으로 판단한다. 얼마나 명성을 쌓았고, 얼마나 높은 자리까지 올랐으며, 얼마만큼의 재산을 모았는지가 세인들의 관심거리다. 그러나 인생의 성공 여부를 단면이 아닌 전체를 놓고 바라본다면 정점을 찍었을 때 못지않게 바닥을 찍었을 때의 대응 여부가 중요하다. 바닥에서 어려움을 이겨내고 슬기롭게 극복한 사람은 훗날 인생을 회고할 때 그렇지 않은 사람보다 만족도가 더 높다.

사이클이 바닥을 찍으면 위기 상황이라고 할 수 있다. 이때 위기에 잘 대처해야만 바닥이지, 잘못 대응하면 끝없이 추락할 수 있다. 결국 바닥이라고 생각했던 부분이 사실은 바닥이 아니게 되는 셈이다.

위기란 어떻게 보면 기회이기도 하다. 국어사전은 '위기(危機)'를 '파국을 맞을 만큼 위험한 고비', '기회(機會)'를 '어떤 행동을 하기에 가장 좋은 때'라고 설명하고 있다. '위기'나 '기회'는 의미가 전혀 다름에도 불구하고 같은 '기(機)' 자를 사용한다. 이 둘은 반대의 의미라기보다는 뫼비우스의 띠처럼 하나로 연결되어 있다. '파국을 맞을 만큼 위험한 고비'란 '어떤 행동을 하기에 가장 좋은 때'이기도 하기 때문이다.

미국의 마케팅 정보 시장조사업체 JD파워는 소비자가 구매 후 3년이 지난 차량을 대상으로 엔진, 변속기, 주행, 조향장치 등의 202개 세부 항목에 대해 자동차 100대 당 불만 건수를 점수화한 '내구품질조사'를 발표했다. 1998년 조사에서 현대자동차는 100대당 불만 건수가 평균 278건으로 최하위였다.

1998년은 기아자동차를 인수한 해였다. 회사의 몸집은 커졌는데 내구품질조사에서 최하위를 차지했으니, 기업으로서는 위기였다. 미국 시장에 처음 진출했던 1986년에 현대자동차는 16만 대가 팔렸고, 이듬해에는 26만 대가 팔렸다. 그러나 수출 3년째에 접어들어 품질에 문제점이 드러나면서부터 판매가 급감했다. 판매 부진은 10년째 이어져서 1998년에는 9만 7천 대에 그쳤다. 그러자 그만두거나 다른 회사로 옮기는 딜러가 늘어나서 판매망 자체가 와해될 처지였다.

정몽구 회장님은 1999년 초에 미국을 방문해서 관계자들을 만났다. 현지 딜러들은 리콜 요청이 쇄도하고 있다면서 제발 좋은 차를 만들어달라고 당부했다. 현대차가 미국 현지에서 천덕꾸러기 취급을 당하고 있다는 사실을 확인한 정 회장님은 큰 충격을 받았다. 귀국하자마자 문제점을 정확히 파악하기 위해서 JD파워에 컨설팅을 의뢰했고, 다섯 가지 문제점을 지적받았다.

하나, 제품기획·설계·생산 단계에 고객의 목소리가 제대로 반영되지 않고 있다. 둘, 고질적인 품질 문제는 모델이 바뀌어도 반복해서 발생하고 있다. 셋, 문제점을 해결하려는 대책이 불완전해서 시장 상황을 더욱 악화시키고 있다. 넷, 대당 문제점 건수가 전체 평균보다 2~3배 높다. 다섯, 협력업체 품질관리가 부족하다

이후 정 회장님은 회사의 모든 역량을 '품질 개선'에 맞췄다. 1999년에 자동차업계 최초로 미국에서 '10년-10만 마일 보증제도'를 실시했다. 소비자는 반색했지만 전문가들은 비웃었다. 엔진이나 변속기가 고장 날 경우 1,000달러가 넘는 수리비가 들었다. 그런데 다른 회사도 아니고 제품에 가장 문제가 많은 현대차에서 10년 10만 마일 보증제도를 실시한다니, 당연히 무리수라고 판단한 것이다. 품질을 개선하지 못한다면 회사 자체가 도산할 수밖에 없었다. 이런 사실을 누구보다도 잘 알고 있는 사람은 정 회장님이었다. 위기 상황임을 직감하고 배수진을 치고서 일종의 모험을 한 셈이다.

회사의 생존 여부가 걸려 있다 보니 품질 개선을 위한 각고의 노력이 이어졌다. 세계 각국을 네트워크로 연결해서 24시간 품질에 대한 불만 사항을 접수받았다. 현장의 임직원들과 정보를 공유하기

　도 게을리하지 않았다. 또한 생산 중인 현대차를 정밀 분석해서 보완점을 마련하는 한편, 품질 좋은 선진국의 자동차와 비교 분석하여 장점을 배워나갔다. 정 회장님은 수시로 생산 현장을 방문해서 품질을 꼼꼼하게 체크하는가 하면, 자동차 부품 산업재단을 설립해서 협력업체들이 양질의 부품 생산에 전념하도록 하였다.

　그로부터 7년 뒤인 2006년, JD파워가 구입한 지 3개월이 지난 차량을 대상으로 조사하는 '신차품질조사(IQS : Initial Quality Study)'에서 현대차는 포르쉐와 렉서스의 뒤를 이어 종합 3위를 차지했다. 정몽구 회장님은 절체절명의 위기를 현대차의 부정적인 이미지를 송두리째 바꾸는 절호의 기회로 삼은 셈이었다.

개인이든 기업이든 인생에서 위기는 반드시 찾아온다. 경제적 위기이든 가정사든 인간관계든 간에 위기가 찾아오면 못 본 척하거나 달아나려고만 하지 말고 일단 부딪쳐야 한다. 맞부딪쳐서 위기의 실체를 파악하고 슬기롭게 대처해야 한다. 위기야말로 나의 잠재된 능력과 진면목을 제대로 보여줄 절호의 기회이기도 하기 때문이다.

1914년 8월 어니스트 섀클턴과 27명의 대원들은 인듀어런스 호를 타고 영국을 출발해서 남극 횡단 탐험에 나섰다. 배는 떠다니는 빙하에 갇혀 꼼짝달싹하지 못하게 되고, 결국 목재로 제작된 배는 표류하다가 난파되었다. 섀클턴은 구명용 돛배 세 척을 띄워 육지를 찾아 나섰다. 높은 파도와 거센 폭풍 등과 싸우면서 힘겨운 사투 끝에 보름 만에 무인도인 엘리펀트 섬에 도착했다. 그러나 섀클턴과 다섯 명의 대원은 다시 돛배를 타고 구조를 요청하기 위해 사우스조지아 섬으로 출발했다. 이들은 남극에서 가장 험한 폭풍과 파도가 가로막고 있는 1,280킬로미터에 이르는 드레이크 해협을 작은 돛배로 건너 구조를 요청했고, 엘리펀트섬에 남아 있던 나머지 대원을 모두 구출하는 데 성공했다. 섀클턴과 대원들은 혹독한 남극의 추위, 성난 파도, 거센 폭풍, 굶주림을 겪었지만 영국을 떠난 지 무려 2년 1개월인 755일 만에 단, 한 사람의 희생자도 없이 무사히 돌아왔다. 섀클턴의 리더십은 모든 이의 경탄을 자아냈고, 학자들의 연구 과제가 되어서 여러 권의 책으로 출간되기도 했다.

정몽구 회장님이 현대자동차 그룹의 위기를 넘긴 과정과 섀클턴이 대원들과 생환한 과정을 살펴보면 몇 가지 공통점이 있다.

첫째, 최종 목표를 잊지 않는다.

둘째, 단기적인 목표에 집중한다.

셋째, 낙천적인 마인드와 해낼 수 있다는 신념을 지닌다.

넷째, 큰 모험을 두려워하지 않고 시도한다.

다섯째, 절대 포기하지 않는다.

프랑스의 대문호 빅토르 위고는 이렇게 말했다.

"진보를 위해서는 언제나 위급한 상황이 필요했다. 램프를 만든 것은 어둠이었고, 나침반을 만들어낸 것은 안개였고, 탐험을 하게 만든 것은 배고픔이었다."

위기는 종말이 아니라 진보를 향한 시발점이며, 정점을 향한 도전이다.

몸이 움직여야
마음도 움직인다

　　　　　　1982년에 개봉된 스티븐 스필버그 감독의 영화
〈E.T.〉에 등장하는 외계인은 머리카락이 없는 큰 머리, 긴 목, 가느
다란 팔에 짧은 다리를 갖고 있다. 물론 외계인의 생김새는 감독의
상상력에 근거하고 있지만 그 밑바탕에는 진화론이 깔려 있다. 끊
임없이 생각하다 보니 뇌의 용량은 커졌고, 운동 부족으로 손은 가
늘어졌지만 자주 사용하는 손가락은 길어졌다. 또한 교통수단의 발
달로 걸어 다닐 일이 거의 없는 다리는 짧아졌고, 환경의 지배에서
완전히 벗어나다 보니 쓸모 없어진 신체의 털은 사라졌다. 영화 속
외계인의 모습은 과학자들이 예상하는 미래 인류의 모습이다.

　만약 미래에 인류가 영화 속 외계인 같은 모습으로 진화한다면
행복할까?

　내 생각에는 전혀 행복할 것 같지 않다. 의술은 발달하겠지만 신

체의 퇴화로 인해 수많은 질병에 시달리며 우울증에 걸린 채 살아가리라.

인간은 신체적 활동을 할 때 뇌에서 도취감을 느끼게 하는 엔도르핀, 우울한 기분을 없애주고 행복감을 느끼게 하는 세로토닌 같은 신경전달물질이 분비되어 인체를 활성화시키며 기분을 좋게 한다. 또한 면역력을 높이는 한편 뇌에 자극을 주고 신선한 산소를 공급해서 두뇌 활동을 활발하게 한다.

결국 뇌의 기형적인 발달과 육체의 발육 부진은 인류를 불행하게 할 뿐이다. 인류가 행복해지기 위해서는 뇌와 육체가 함께 발달해야 한다. 육체와 뇌는 둘이 아닌 하나다. 분리되어서는 안 되며, 분리될 수도 없다.

인류는 오랜 세월 육체를 주로 사용하며 살아왔다. 물론 플라톤이나 아르키메데스처럼 뇌를 사용하며 인생을 산 사람도 있지만 전체 인구에 비하면 극소수에 불과했다. 대다수는 몸을 움직여 각종 노동을 하며 살아왔다. 그러나 현대에 들어와서는 수많은 사람이 책상에 앉아 뇌를 사용하며 살아가고 있다. 육체의 활동이 제한되다 보니 비만, 고혈압, 고지혈증, 당뇨 같은 성인병이 출몰했고, 각종 스트레스와 우울증으로 정신병원을 찾는 사람이 늘어났다.

현대인을 괴롭히는 질병의 대부분은 뇌의 사용에 비해서 육체의 사용을 등한시하기 때문에 발생한다. 나는 어려서부터 스포츠를 좋아해서 스포츠가 지닌 장점을 잘 안다. 대다수의 사람은 뇌가 움직여야지 몸이 움직인다고 생각하는데, 나는 반대라고 생각한다. 몸이 움직여야 뇌가 움직인다. 아무리 훌륭한 아이디어가 있어도 생각만으로는 부자가 될 수 없다. 부자가 되려면 아이디어를 실행에 옮겨야 한다.

처음부터 완벽한 계획이란 없다. 일단 시작하고 보면 현실과 계획의 차이를 알 수 있고, 보완해야 할 점을 발견하게 된다. 즉, 몸이 움직여야 뇌도 제대로 방향을 찾아서 움직이고 마음도 움직인다.

내가 현대제철 부회장으로 재직할 때 해병대 캠프 극기 훈련에 관리직, 임직원 중 1천여 명을 참여시켰다. 여직원은 물론이고 연령과 직급 구분 없이 1천여 직원이 2박 3일간 '불가능은 없다'는 극기 훈련을 체험한 것이다. 가을에는 설악산 등반 행사를 벌였다. 한 번에 백 명씩 열 차례에 걸쳐서 해발 1,708미터의 대청봉을 정복하는 작전이었다. 적지 않은 인원이다 보니 쉬운 일은 아니었다. 상당수 직원이 짜증냈고, 두려워했고, 달아나려 했다. 그러나 나는 강하게 밀어붙였다.

언론에서는 '해병대 출신의 김무일 부회장이 현대제철 임직원들을 해병정신으로 무장시키려고 한다'고 하였다. 솔직히 고백하자면 내가 임직원들과 함께 몸으로 부딪치는 야외 행사를 시작한 것은 두 가지 이유에서였다.

첫 번째는, 외부에서 짐작한 대로 '정신무장'을 위해서였다.

삼국을 통일한 태조 왕건이 궁예 밑에서 수군대장군으로 활약하고 있을 때의 일이었다. 왕건의 부하들은 견훤과의 나주전투를 앞두고서 수적인 열세로 불안에 떨고 있었다. 그러자 왕건은 부하들에게 이렇게 말했다.

"두려워하지 마라! 전쟁에서 이기고 짐은 군대의 의지가 통일되어 있느냐 아니냐에 있을 뿐, 그 수가 많고 적음에 있지 아니하다."

나는 비즈니스 환경도 전쟁터와 다를 바 없다고 본다. 어떤 기업이든 임직원의 의지가 하나로 통일되어 있다면 헤쳐나가지 못할 역경은 없다.

두 번째는 '애사심'을 키우기 위해서였다.

임직원들을 강당에 모아놓고, 유명 인사를 불러서 애사심과 단합, 소통의 중요성을 배우게 할 수도 있었다. 그러나 머리로 배운 것은 금방 잊어버리게 마련이다. 회사에 대한 사랑은 머리가 아닌 가슴으로 느껴야 한다.

임직원들이 하나가 되어 함께 제식훈련을 받고, PT체조를 하고, 고무보트를 타고, 해안도로 10킬로미터를 구보로 달리고, 서로 밀어주고 끌어주며 아름다운 산길을 오르다 보면 누가 강요한 것도 아닌데 애사심이 샘솟고, 단합의 중요성을 깨닫고, 닫힌 마음의 문을 열고 소통하게 된다.

몸은 뇌보다 기억력이 좋다. 책상에 앉아서 암기한 것은 다른 지식이 들어오면 이내 잊힌다. 그러나 이렇게 몸으로 부딪치며 가슴으로 느낀 것은 쉽게 잊히지 않는다.

조직이 성과를 내려면 일심동체가 되어야 한다. 리더가 앞에서 혼자서 고군분투하고 있는데 조직원들이 수수방관하거나 불평불만을 늘어놓는다면 그 조직은 얼마 못 가 와해되고 만다. 개성이 각기 다른 사람이 일심동체가 되기 위해서는 자발적으로 참여하겠다는 마음이 일어야 한다. 그 마음은 몸이 먼저 움직여야만 생긴다는 게 나의 지론이다.

"바람이 불지 않을 때 바람개비를 돌리는 방법은 앞으로 달려나가는 것이다"라는 데일 카네기의 말은 한 번쯤 음미해볼 가치가 있다. 세상사가 잘 안 풀리거나 벽에 부딪힌 것처럼 가슴이 답답하다면 몸을 움직여야 할 때다. 고민을 붙든 채 꽁꽁 싸매고 있지 말고 사무실을 박차고 야외로 나가라. 들판을 거닐거나 등산을 하거나 땀을 흘리며 운동을 하다 보면 의외로 쉽게 해결책을 찾을 수도 있다.

가끔은
고독 속으로 걸어 들어가라

세상은 도도히 흐르는 급류를 타고 빠르게 흘러간
다. 태양이 어둠 속에서 떠오르면서 시작된 도시인의 하루는 밤이
깊어도 좀처럼 끝나지 않는다. 수많은 직장인이 가로등 불빛 아래
서 긴 그림자를 끌고 퇴근한다. 늦은 저녁을 먹고 거실 소파에 앉아
서 쉬는 시간도 잠깐, 이내 눈을 붙이고 나면 또 다시 하루가 시작
된다.

인디언들은 말을 타고 급히 길을 가다가도 간혹 멈춰 서서 뒤를
돌아본다. 그 이유는 자신의 영혼이 따라올 시간을 주기 위해서라
고 한다. 바쁘게 살다 보면 중요한 것을 간과하기 쉽다. '바쁘다'는
것은 흐름을 놓치지 않기 위함인데, 그 흐름을 무리해서 따라가려
다 보면 욕심을 부리게 되고, 욕심을 부리다 보면 정도를 넘어서게
된다. 아무리 바빠도 정도를 넘어서면 안 된다. 차도가 막힌다고 인

도로 승용차를 모는 것은 돌이킬 수 없는 결과를 불러올 뿐이다.

기업이든 개인이든 알맹이는 부실한데 외형만 빠르게 성장하는 것은 의미가 없다. 성장 속도는 다소 늦을지라도 속을 꽉꽉 채워가면서 성장하는 게 바람직하다. 그러기 위해서는 쉼표가 필요하다.

살다 보면 노력하지 않아도 외로움과 마주치게 된다. 그럴 때는 의도적으로 외로움에서 벗어나려고 하지 말고 그 안으로 걸어 들어가라. 명상을 하든, 책을 읽든, 산책을 하든, 음악을 듣든 간에 외로움과 마주하다 보면 내면의 소리를 들을 수 있다. 만약 원하지 않는 삶을 살고 있거나 그릇된 삶을 살고 있다면 마음속의 '또 다른 나'가 거기에 대한 물음을 던질 것이다. 어쩌면 그 물음은 그동안 바쁘다는 핑계로 의식적으로 피해왔던, 다소 불편한 물음일 수도 있다. 그 물음이 마음을 아프게 하더라도 더 이상 달아나서는 안 된다. 인생이란 짧은 데다 한 번 지나가면 돌이킬 수조차 없다. 잘못된 것은 더 커지기 전에 바로잡아야 한다. 고통스럽더라도 때로는 정면으로 맞서야만 한 단계 업그레이드된 인생을 살 수 있다.

고독은 인간을 각성시킨다. 고독은 절대적 개념이 아닌 상대적 개념이다. 러시아의 극작가이자 소설가인 안톤 체호프는 "고독이 두렵다면 결혼하지 말라"는 의미심장한 명언을 남겼다. 아무래도 독신자의 고독보다는 누군가를 사랑할수록, 함께 있는 기간이 길어질수록, 화려한 삶일수록 고독은 깊어진다.

원했든 원하지 않았든 간에 고독한 순간이 찾아오면, 지위 고하를 막론하고 발가벗은 채 전신거울 앞에 서게 된다. 별다른 가식 없이 솔직하고 담백하게 살아온 사람이라면 자신의 모습이 그다지 낯

설지 않다. 그러나 화려한 왕관을 쓰고 온갖 문양이 새겨진 형형색색의 옷으로 알몸을 감추며 살아온 사람이라면 자신의 초라한 모습에 큰 충격을 받는다. 처음에는 눈을 질끈 감고 강하게 부인하다가 차차 자신의 본래 모습을 받아들이게 되고, 아무리 강한 척해도 광활한 우주 속을 살아가는 미약한 미물임을 인정한다. 비로소 남은 인생을 어떻게 살아야 할지를 어렴풋하게나마 깨닫게 되는 것이다.

또한 고독은 인간을 성장시킨다. 괴테는 "영감은 오직 고독 속에서만 얻을 수 있다"고 하였다. 인간의 뇌는 일상에서 탈피했을 때 색다른 능력을 발휘한다.

똑같은 풍경일지라도 연인과 함께 볼 때와 혼자 볼 때의 느낌이 다르다. 일을 할 때와 쉴 때의 느낌이 다르고, 말을 할 때와 침묵할 때의 느낌이 다르고, 여럿이 밥 먹을 때와 혼자 밥 먹을 때의 느낌이 다르다. 느낌이 다르면 생각이 달라지고, 생각이 달라지면 뇌의 활동 영역이 달라진다.

가끔은 익숙한 것으로부터 탈피해야 한다. 그래야 익숙한 생각으로부터 벗어날 수 있고, 숨은 생각의 조각들을 발견할 수 있다. 익숙하다는 것은 편리하기는 하지만 이미 저질러진 오류나 혁신적인 방법을 발견하지 못한다는 단점이 있다. 뇌는 오류를 바로잡아야 한다는 사실을 알고 있으면서도 귀찮다는 이유로 방치하기도 하고, 혁신적인 방법을 찾았으면서도 에너지가 많이 소모된다는 이유로 덮기도 한다.

이러한 발견은 오로지 고독 속에서만 가능하다. 인간은 신이 아니다. 신처럼 완벽해지기를 바라기보다는 인간의 한계를 인정하는 편이 현명하다. 전문가 중에는 더러 나의 지식이나 방법이 최선이라고 떠벌리는 사람이 있다. 이런 사람은 진정한 전문가가 아니다. 나의 지식이나 방법이 틀릴 수도 있다는 사실을 인정하고, 다른 각도에서 보기 위해 고심하는 사람이야말로 진정한 전문가다. 따라서 진정한 전문가가 되려면 가끔 고독을 즐길 줄 알아야 한다.

그런데 고독은 뇌의 활동 영역을 넓혀서 문제 해결에 도움이 되지만 너무 오랫동안 홀로 지내다 보면 우울증과 같은 마음의 병을 불러온다. 가끔씩 하는 금식은 건강에 보탬이 되지만 잦은 금식은 몸을 허약하게 한다. 고독도 마찬가지다. 가끔씩 고독해지는 것은 좋지만 절대 오래 머물러서는 안 된다. 조지 버나드 쇼의 말처럼 고독은 방문하기에는 좋은 장소이지만 오래 머무르기에는 쓸쓸한 장소이다.

세상살이 -5퍼센트, 내 인생 +5퍼센트 관심을 가져라

독일의 실존철학자 마르틴 하이데거는 저서 《존재와 시간》에서 인류의 미래는 지난 세월보다도 훨씬 더 과학과 테크놀로지에 의지하게 될 것이라고 예언하였다. 그의 예측대로 과학과 테크놀로지는 급속도로 발전했고, 인간의 존재에 대한 소외감은 한층 심화됐다.

하이데거의 말처럼 우리는 대개 삶의 시한을 보지 못한다. 오로지 일상의 시한들 앞에서 머물다 갈 뿐이다. 일상에서 내가 하고 있는 일들의 시작과 끝에 대해서만 몰두할 뿐 내 생명의 시작과 끝에 대해서는 무심하다. 막연하게 지금은 아니지만 언젠가는 죽음이 찾아오리라는 것만 짐작하고 있을 뿐이다.

전기와 가전 제품, 인터넷, 통신수단, 교통수단 등의 발달은 가사 노동과 이동 시간 등에 들어가는 시간을 대폭 줄여줌으로써 시간의 풍요로움을 낳았다. 그러나 대다수 현대인은 오히려 극심한 시간의 빈곤 속에서 허덕이고 있다. 가장 큰 원인은 비생산적이고 소모적인 호기심 때문이다.

자신의 존재에 대해 자각하고 있을 때 업무에 전념한 뒤에 찾아오는 인생의 공허감 내지는 허탈감을 미연에 방지할 수 있다. 일상의 시간들에 쫓기는 와중에도 가끔씩 걸음을 멈추고, 나라는 존재와 인생에 대해서 진지하게 생각해봐야 한다. 이러한 생각은 인생 전반을 경영해 나아가는 데 보탬이 된다.

현대인의 삶 속에 깊숙이 들어온 텔레비전, 인터넷, 스마트폰 등은 야누스처럼 두 가지 얼굴을 하고 있다. 유용한 정보와 편리함을 제공해서 시간을 단축시키고 즐거움을 주는 한편, 소모적인 호기심의 세계로 끌어들여서 무자비하게 시간을 강탈한다.

2014년 8월 영국 방송통신규제기관인 오프콤이 발표한 통신시장보고서(CMR)에 따르면 영국 성인들이 하루에 스마트폰과 태블릿 같은 디지털 기기를 사용하는 시간은 8시간 41분으로, 수면 시간인 8시간 21분보다 20분이 더 많은 것으로 드러났다.

2013년 7월, 샌프란시스코에서 '디지털 디톡스(Digital Detox)' 도심 여름 캠프가 열렸다. 디지털 기기 중독에서 잠시라도 해방되어 보자는 취지의 캠프다. 캠프 참가자들은 스마트폰, 태블릿 PC, 디지털 카메라 같은 디지털 기기를 맡기고 들어가야 한다. 캠프 장소 때문에 수용 인원을 고려해서 500명으로 제한했는데 1,500명의 참가자가 모여들 정도로 성황을 이루었다.

디지털 기기에 중독된 10대와 20대를 위한 캠프도 세계 곳곳에서 열리고 있다. 영국 BBC는 디지털 중독을 치료하기 위한 클리닉이나 캠프 등이 새로운 산업으로 떠오를 가능성이 있다고 보도하였다.

호기심에 약한 현대인의 뇌는 디지털 기기에 빠르게 중독되고 있다. 시시각각 쏟아지는 각종 뉴스를 읽고, 나의 삶과는 하등 상관이 없거나 연결 고리가 약한 정보까지 무분별하게 받아들인다. 그러다 보니 24시간 중 나를 위한 시간은 거의 없다.

내 인생을 보호하기 위해서라도 세상살이에 대한 관심을 다소 줄일 필요가 있다. 네이버나 다음에 올라오는 뉴스를 매일 볼 필요는 없다. 페이스북에 수시로 올라오는 친구들의 글에 매번 '좋아요'를 누를 필요가 없다. 트위터에 올라온 글에 일일이 댓글을 달거나 친구들이 보낸 카톡을 수시로 확인할 필요도 없다.

디지털 기기의 사용 시간을 줄이고 그 시간을 나에게 투자하라. 취미생활을 하든지, 운동을 하든지 하라. 명상을 하거나 햇살 속을 천천히 거닐면서 '인생이란 무엇인가?', '나는 누구인가?' 같은 철학적인 물음을 던지고 스스로 답을 찾아보는 것도 인생을 풍요롭게 하는 좋은 방법이다.

세상살이는 마음먹기 나름이라고 한다. 어떤 마음을 먹고 살아가느냐에 따라서 인생이 달라진다. 반복되는 일상의 시계 속에서 숨 가쁘게 달리다 보면, 그것이 인생의 전부인 것처럼 느껴진다. 거울 앞에서 자신의 모습을 비춰보듯이, 가끔 걸음을 멈추고 인생 전반을 천천히 살펴볼 필요가 있다.

미국의 의학자이자 수필가인 올리버 웬델 홈즈는 말했다.

"이 세상에서 중요한 것은 우리가 어디에 서 있는가 하는 문제가 아니라 우리가 어디로 가고 있는가 하는 문제이다."

나는 지금 어디로 가고 있는가?

제대로 된 방향으로 가기 위해서는 걸음을 멈추고 수시로 주변을 둘러보아야 한다. 무작정 앞사람만 따라가다가는 방향을 잃고 만다.

세상살이에 대한 관심을 5퍼센트만 줄여라. 그 대신 내 인생에 대해서 5퍼센트만 더 관심을 가져라. 그것이 인생을 풍요롭게 하는 비결이다.

Chapter 2
·
거인이
되려면
기품 있게
행동하라

이미지가
인맥의 질을 결정한다

　　인간은 의식적이든 무의식적이든 누군가를 항상 관찰한다. 관찰은 배 속에서 나왔을 때부터 시작된다. 첫 번째 관찰 대상은 어머니다. 탯줄을 잘랐지만 체취와 목소리만으로 어머니를 구분해내고, 어머니의 감정 상태를 살핀다. 어머니가 기분 좋으면 같이 미소를 짓고, 어머니가 몸이 아프면 같이 울음을 터뜨린다.

　생후 6개월에서 15개월 사이가 되면 낯가림을 시작한다. 낯가림은 가족 외에 다른 사람도 관찰하기 시작했음을 의미한다. '믿을 수 있는 사람'과 '정체를 알 수 없는 사람'으로 분류하기 시작해서 우리 편이 아니라고 판단되면 불안해하면서 울음을 터뜨린다. 관찰은 낯가림의 시기가 끝난 뒤에도 계속된다.

　행동주의심리학 이론 중 '관찰학습(Observational Learning)'이 있다. 다른 사람의 행동을 관찰한 결과에 따라 행동이 변화하는 등 학습이 이루어진다고 보는 이론이다. 물론 내가 한 행동에 의해 상을 받거나 벌을 받았을 때 학습이 이루어지지만 한 발 더 나아가서 다른 사람의 행동을 통한 결과를 지켜보는 것만으로도 학습이 이루어진다.

예를 든다면 다음과 같은 것들이다. 어머니가 바퀴벌레를 보고 비명을 지르면 딸은 다음번에 바퀴벌레를 보았을 때 비명을 지르게 된다. 형이 길을 가다가 지갑을 주웠는데 주인을 찾아주어서 어머니에게 칭찬을 받았다면, 동생 역시 지갑을 줍게 되면 어머니에게 칭찬받기 위해서 주인을 찾아주고 싶은 충동을 느낀다. 형이 이웃집에 가서 바늘을 훔쳐왔는데 어머니가 잘했다고 칭찬하면 형은 나중에 소도둑이 될 확률이 높아진다. 그 영향은 지켜보고 있던 동생에게도 미쳐서 나중에 형제가 소도둑이 될 수도 있다.

주변 사람들과 그들의 행동, 즉 인간에 대한 관찰은 성인이 되어서도 계속된다. 사람을 처음 만나면 의식과 무의식을 통해 그를 재빨리 관찰하고, 내가 사회생활을 해나가는 데 좋은 영향을 미칠 사람인가 아닌가를 판단한다. 짧은 순간의 관찰이지만 상대의 이력, 사회적 위치, 성격, 나이, 용모, 업무 능력, 패션 감각, 유머 감각, 신뢰성, 진실성, 총명함, 호감도 등등을 종합해서 하나의 이미지로 형상화한 후 기억의 창고에 보관한다. 이 이미지는 시간이 지나고 만남이 이어지면서 좀 더 구체화된다.

좋은 인맥을 쌓고 싶다면 먼저 '나는 어떤 이미지를 갖고 있는가?'부터 파악해야 한다. 대다수가 자신의 이미지에 대해 실제보다 과장하는 경향이 있다. 팔이 안으로 굽듯이 평균 이상으로 총명하고, 평균 이상으로 진실하고, 평균 이상의 업무 능력을 지닌 평균 이상의 시민이라고 자부한다.

자신감은 중요하지만 이런 식의 과장은 나의 이미지를 파악하고 개선해가는 데 도움이 되지 않는다. 나의 이미지를 판단할 때는 얼음처럼 냉정해질 필요가 있다. 스스로 평가할 경우 착각에 빠지기 쉬우니 지인들에게 솔직한 대답을 요구하여 나의 이미지를 객관적으로 파악하는 게 좋다. 일은 잘하는데 자신의 이익부터 챙기는 스타일은 아닌지, 머리가 총명한 반면 돈관계가 불투명해서 다른 사람에게 소개시키기에 불안한 사람은 아닌지, 맡은 일은 잘하는데 말수가 적어서 도대체 무슨 생각을 하는지 알 수 없는 사람은 아닌지, 관리자로 승진시키기에는 리더십이 부족하지는 않은지 등등을

알아볼 필요가 있다.

내가 타인에게 보여지기를 희망하는 이미지와 실제 이미지 사이에는 많은 차이가 있다. 이미지관리는 능동적으로 나서서 그 간격을 좁히겠다고 마음먹는 데서부터 출발한다. 이미지는 행동하기에 따라서 얼마든지 바뀔 수 있다. 인간의 관찰은 계속되기 때문에 나의 변화된 행동이 반복되면 다른 사람들의 의식과 무의식 속으로 파고들게 되고, 나에 대한 이미지가 바뀌게 된다.

세상에는 눈에 보이지 않는 사다리가 있다. 드물기는 하나 그 사다리를 혼자 힘으로 올라가는 별종도 있다. 그러나 대다수는 위에서 끌어주거나 밑에서 밀어줘야만 오를 수 있다. 사회생활에서 인맥이 중요한 이유도 이 때문이다.

인간은 자신의 말과 행동에 정당성이 부여되기를 원한다. 밑에서 밀어주는 사람에게도 정당한 이유가 있어야 하고, 위에서 끌어주는 사람에게도 정당한 이유가 있어야 한다. 내가 적절한 기회를 잡지 못하고 있거나 승진에서 계속 누락되고 있다면, 나의 이미지에 결정적인 문제가 있기 때문이다. 당사자가 그 이유를 알고 있다고 확신하는 경우가 많은데 정작 당사자가 짐작하는 수준의 것이 아닐 수도 있다. 어쩌면 더 근본적인 데서 문제가 발생했을 수 있다.

인맥도 피라미드 구조로 이루어져 있다. 밑에 있는 사람은 사귀기가 쉽지만 위로 올라갈수록 점점 어려워진다. 특히 이미지가 안 좋으면 인맥의 상층부에 접근할 수가 없다. 위로 올라갈수록 이미지를 중시하기 때문이다.

T. 데커의 명언은 이미지관리의 핵심을 짚고 있다.

"운명은 그 사람의 성격에 의해서 만들어지고, 성격은 그 사람의 일상적인 습관에서 만들어진다. 따라서 오늘 하루 좋은 행동의 씨앗을 뿌려서 좋은 습관을 거둬들이도록 해야 한다. 좋은 습관으로 성격을 다스린다면 운명은 그때부터 새로운 문을 열 것이다."

높은 곳에 오르기를 희망한다면 이미지관리부터 시작해야 한다.

나만의 고유 영역을
확보하라

　　　　　동물의 세계에서 포식자들은 저마다 자신만의 영역을 갖고 있다. 다른 포식자가 침범해 들어올 경우 목숨을 걸고 싸운다. 영역이 곧 생존의 터전이기 때문이다.

　지금은 시대 변화로 인해서 사정이 바뀌었지만 몇 해 전까지만 해도 특정한 자격증을 따서 자신만의 고유한 영역을 확보한 의사, 변호사, 검사, 판사, 회계사, 변리사, 약사 등등의 전문직은 다른 이들의 선망이었다. 치열하게 경쟁하지 않아도 영역만 관리하면 먹고 사는 데 큰 어려움이 없었기 때문이다. 그러나 지금은 그들도 치열하게 영역 싸움을 한다. 경쟁자는 늘어난 반면 이익은 줄어들었기 때문이다.

　세계 경기의 침체로 일자리가 줄어들면서 취업난이 심화되고 있다. 그러자 일부에서는 학벌과 스펙 위주의 선발 방식에 문제를 제기했고, 업무 역량 위주의 선발 방식을 주문했다. 국민의 정서까지 헤아려야 하는 기업으로서는 난감하지 않을 수 없다.

지원하는 업무 분야에 특화된 능력이 있어서 당장 현장에서 쓸 수 있는 인재라면 기업에서 마다할 이유가 있다. 업무에 투입시켜서 한 사람의 몫을 하기 위한 인재로 키우려면 일정한 기간과 적지 않은 교육비가 들어간다. 거기다가 기껏 교육시켜놓으면 경쟁사에서 가로채거나 적성이 맞지 않는다며 이직을 한다. 당연히 기업의 손실은 커질 수밖에 없다.

업무에 적합한 인재를 선발하는 데서 오류를 최대한 줄이기 위해 이력서와 자기소개서를 보고, 인·적성검사에다 면접을 보는 것 아니겠는가. 그런데 업무 역량 위주로 선발하라고 하면 실전적 어학 능력, 각종 자격증, 공모전 수상 경력, 인턴 경험, 친화력 등등을 가미해서 보라는 건데 결과적으로는 취업 준비생만 더 힘들게 할 뿐이다.

물론 그들이 자신의 고유한 영역을 확보했다면 더할 나위 없다. CEO가 갖춰야 할 중요한 역량 중 하나는 적재적소에 인재를 배치하는 일이다. 새로운 일을 추진하다 보면 새로운 사람이 필요하게 마련이다. 그럴 때 가장 먼저 떠오르는 사람이 자신의 고유 영역을 확보한 인재이다.

그렇다면 나만의 고유 영역을 확보하려면 어떻게 해야 할까?

첫 번째는 전문가가 되는 것이다.

전문가로서 인정받기가 어렵지, 일단 인정받고 나면 승승장구할 수밖에 없다. 학문과 현실은 같으면서도 다르다. 대학에서 배운 학문만으로는 현장에서 전문가로 행세할 수 없다. 현장 전문가가 되려면 사회에 나와서도 꾸준히 공부해야 한다. 세상은 빠르게 변하고 기술은 하루가 다르게 진보하고 있기 때문에 잠시만 한눈을 팔아도 도태되고 만다.

두 번째는 성과를 올려서 인정받는 것이다.

CEO는 모든 직원을 관찰한다. 하지만 회사 규모가 커서 임직원이 많을 경우 모든 직원의 특성을 일일이 파악할 수는 없다. CEO의 눈에 띄고 인정받으려면 맡은 분야에서 성과를 올려야 한다. 맡은 일을 성실히 해내고 좋은 결과를 이루는 과정을 반복하다 보면 저절로 하나의 이미지가 형성되고, 나만의 고유 영역이 생기게 된다. 상사나 CEO의 레이더에 잡히는 것은 당연하다.

세 번째는 나만의 강점을 발전시키는 것이다.

살아온 과정에서 형성된 강점, 성격상의 강점, 업무를 처리하는데서 남다른 강점을 지닌 사람들이 있다. 자신의 약점을 보완하는데 에너지를 낭비하지 말고 강점을 집중적으로 발전시킬 필요가 있다. 이런 사람은 비록 눈에 띌 정도로 높은 성과를 올리지는 못하더라도 강점을 꾸준히 발전시켜 나아가다 보면 언젠가는 반드시 인정을 받게 된다.

신입 사원들 중에는 자신의 적성을 잘 모르는 경우가 의외로 많다. 내가 원하거나 적성에 맞는 일을 찾아서 대학을 고르는 게 아니라, 성적에 맞춰서 줄을 세우다시피 하는 풍조에 편승해서 대학에 진학하다 보니 생긴 현상이다. 대인관계 자체를 싫어하는 소극적인 학생이 경영학과를 가고, 수학을 끔찍이도 싫어하는 학생이 취업이 잘된다는 이유로 공대에 진학한다. 이들의 갈등은 대학생활 때는 물론이고 취업한 뒤에도 계속된다.

다른 사람들은 한창 열심히 일하고 있는데 '내가 왜 여기에 있는 거지? 지금이라도 다른 일을 찾아볼까?' 하고 갈등한다면, 과연 치열한 경쟁에서 살아남을 수 있겠는가. 학교도 중요하고 학과도 중요하지만 그보다 더 중요한 것은 나의 인생이다. 전공을 결정하거나 직업을 고를 때는 누가 뭐래도 나의 적성에 맞는 학과를 선택해야 하고, 내가 좋아하는 일을 골라야 한다. 그래야 자신의 고유한 영역을 어렵지 않게 확보할 수 있고, 그런 사람만이 사회에서 인정받는다.

발레계의 전설이자 한평생을 발레에 바친 러시아의 안나 파블로바는 성공의 비결을 묻자 이렇게 말했다.

"멈추지 말고 한 가지 목표에 매진하라. 그것이 바로 성공의 비결이다."

아직도 늦지 않았다. 성공하고 싶다면 나만의 고유한 영역을 확보하라.

비록 내 편이 아닐지라도
적을 만들지 마라

　　　　　　사회생활을 하다 보면 눈도 마주치기 싫은 사람도 있고, 전생에 원수였나 싶을 정도로 사사건건 부딪히는 사람도 있게 마련이다. 인간은 본능적으로 자신의 이익을 추구하다 보니 서로 반대되는 상황에 놓이면 충돌은 불가피하다. 그것이 경제적인 문제든 정치적인 문제든 종교적인 문제든 간에 열띤 토론을 벌이다 보면 감정싸움으로 번지게 되고, 결국은 등을 돌리게 된다.

　　나는 1987년 민주화 바람과 함께 불어닥친 대규모 파업과 민주노조 설립 붐이 한창일 때 현대Mobis에서 생산 현장의 관리본부를 책임졌다. 파업 현장에서는 물론이고, 협상 테이블에서도 욕설이 난무했다. 노조 대표들은 마치 원수를 대하듯 나를 노려보았고 금방이라도 잡아먹을 것처럼 으르렁거렸다. 마음 상하기는 나 역시 마찬가지였다. 본사와 협의 끝에 어렵사리 마련한 회사 측 타협안이 제대로 검토조차 되지 않고 결렬될 때는 속이 부글부글 끓었다.

그러나 나는 노조대표에게 개인적인 감정은 조금도 갖지 않았다. 협상 테이블에서는 서로 잡아먹을 듯이 싸웠지만 사적인 자리에서는 미소로 대했고, 그의 생일은 물론이고 가족 행사까지 메모해두었다가 따로 챙겨주었다.

'우리는 모두 동시대를 살아가는 따뜻한 마음을 지닌 인간이다.'

이것이 인맥관리의 기본이다. 의견 충돌이 일어나고 감정 대립을 빚을지라도 그때 처한 상황이 그랬을 뿐이므로, 그 사람에 대해서 나쁜 감정을 가질 하등의 이유가 없다.

춘추전국 시대 때, 위나라의 승상 전수는 왕의 신임을 얻고 싶어 했지만 신하들과의 관계가 원만하지 않았다. 재상이었던 혜자가 보다 못해서 그를 불러 이렇게 말했다.

"버드나무는 뿌리내리기 쉬운 나무이기 때문에 모로 심거나, 거꾸로 심거나, 꺾어서 심어도 반드시 뿌리를 내리고 살아납니다. 그러나 열 사람이 심는다 해도 한 사람이 뽑는다면 한 그루도 살아남지 못할 겁니다. 심는 사람이 열 사람임에도 불구하고 뽑는 한 사람을 당해내지 못하는 이유가 무엇이겠습니까? 그것은 심기는 어려워도 뽑기는 쉽기 때문입니다. 승상께서 왕의 신임을 얻으려고 하지만 쉽지 않은 까닭은 왕과의 사이를 갈라놓으려고 이간질하는 자들이 있기 때문입니다. 왕의 신임을 얻고 싶다면 먼저 왕의 측근에 있는 신하들의 마음부터 얻어야 합니다."

세상일은 단순하지 않다. 나만 잘하면 될 것 같지만 나만 잘해서는 빛을 볼 수 없다. 예를 들어서 내가 높은 성과를 올렸을지라도

그 성과가 빛을 발휘하기 위해서는 누군가 떠벌려줘야 한다. 모두가 침묵하는데 나 혼자 떠벌리고 다니면 잘난 체하는 사람으로 취급받기 십상이다.

높은 곳에 오르기 위해서는 끌어주고 밀어주는 사람이 필요하다. 그런 사람들을 만드는 것이 인맥관리다. 그런데 주변에 그런 사람들을 아무리 많이 만들어놓은들 무엇하겠는가? 높은 곳으로 오르지 못하게 위에서 누군가 필사적으로 막고 있거나 등 뒤에서 물귀신처럼 물고 늘어진다면 모든 노력이 허사일 뿐이다.

열 명을 내 편으로 만드는 것도 중요하지만 그에 못지않게 한 명의 적도 만들지 않는 처세가 필요하다. 물론 일을 하다 보면 이런저런 충돌이 일어날 수밖에 없다. 일시적으로 상대방에 대해서 나쁜 감정이 치솟을 때가 가장 위험하다. 내가 상대방에 대해서 나쁜 감정을 품었다면 상대방 역시 나에 대해서 나쁜 감정을 품었을 가능성이 높다.

나쁜 감정이란 고인 물과도 같다. 가급적 빨리 흘려보내는 게 현명하다. 시간이 지나면 지날수록 썩고 악취를 풍겨서, 나중에는 처치 곤란하게 된다. 인맥관리의 달인들은 나쁜 감정이 치솟는 순간, 먼저 감정을 추스르고 화해의 손을 내민다.

"제가 말을 심하게 했죠? 상황이 그렇다 보니 제 주장만 내세웠네요. 오늘 불쾌하셨더라도 이해해주셨으면 합니다. 죄송합니다!"

누군가 마음의 문을 열고 다가서면 나 역시 마음의 문을 열 수밖에 없다. 나 혼자 마음의 문을 꼭 닫고 있으면 옹졸한 사람이 되기 때문이다.

미국 건국의 아버지라 불리는 벤저민 프랭클린은 정치가, 외교관, 과학자, 저술가 등등으로 활약하며 탁월한 재능을 한껏 발휘했다. 재능이 특출한 사람은 시기나 질투를 받게 마련이다. 그가 수많은 적을 물리친 비결은 의외로 간단했다.

"상대가 불쾌한 말을 하면 오히려 적극적으로 그 이야기를 들어주어서 조금이라도 상대의 의견을 존중한다는 태도를 보여야 합니다. 그러면 상대도 결국 당신의 의견을 존중합니다."

인간은 본능적으로 자신의 이익을 먼저 생각하는 존재이다 보니 의견 충돌이 일어나면 대개 자신의 입장을 주장하기에 급급하다. 그럴 때는 오히려 한 발 뒤로 물러나 숨을 고를 필요가 있다.

대인관계에서 영원한 적은 없다. 나는 1998년 현대Mobis 경영지원본부장으로 있을 때 철도차량 창원공장을 방문했던 베트남 공화국 철도청장(예비역 월맹군 육군소장) 일행을 울산에서 만났다. 상담이 끝난 뒤 식사 도중 이런저런 이야기를 나누다가 우연찮게 서로의 과거를 알게 되었다. 그는 40여 년 전 구정 공세 때 내가 속해 있던 특공중대를 포위했던 월맹군 V-25대대 소속의 주력 중대장이었다. 아군도 적군도 사상사가 속출했던 피비린내 나는 전투였다. 서로 죽이기 위해서 총구를 겨눴던 사이였지만 우리는 단박에 친구가 되었다. 서로가 처한 상황이 그랬을 뿐 개인감정은 없었기에 가능한 일이었다.

인맥을 쌓다 보면 본의 아니게 편을 가르게 되고, 어쩔 수 없이 적이 생기게 마련이다. 그러나 그것은 상황이 그렇게 만들었을 뿐임을 기억하라. 지금은 비록 적으로 싸울지라도 상황이 바뀌면 언제라도 친구가 될 수 있다.

가장 소중한 인맥은
가장 가까운 곳에 있다

　　중견기업의 영업부 L 차장은 활달한 성격인 데다 붙임성이 좋다. 상사에게 깍듯하고, 부하 직원들을 동생처럼 대해 줘서 회사에서 인기가 많다. 인맥관리에도 신경을 써서 사내 모임 활동도 활발히 하고, 동창 모임이나 동종업계 종사자 모임 같은 외부 모임에도 꼬박꼬박 참석한다. 트위터, 페이스북, 카카오톡 같은 SNS에서도 활발하게 활동해 온라인 친구도 상당하다.

　L 차장은 출시된 신제품을 보자마자 A사를 떠올렸다. 납품만 할 수 있다면 최대의 거래처였다. '열 번 찍어 안 넘어가는 나무는 없다'는 속담을 떠올리며 다시 한 번 구매부장을 찾아갔다. 신제품을 보여주며 최대한 좋은 조건을 제시했지만 구매부장의 반응은 시큰 둥했다. 비슷한 제품을 생산하는 경쟁사와 별다른 문제없이 오랫동안 거래해왔기 때문에 협력업체를 바꾸기는 현재로서는 어렵다는

말만 반복했다. 아쉽지만 나름대로 최선을 다했노라고 스스로를 위로하며 돌아설 수밖에 없었다.

A사 납품 건은 한동안 잊고 지냈는데 조카 결혼식에 갔다가 A사의 구매총괄본부장을 만났다. 알고 보니 친형과 고등학교 동창으로 절친한 사이였다. 결혼식장을 나서는데 마음이 착잡했다.

집안에 남자 형제는 둘뿐인데 형과는 다섯 살 차이였다. 어렸을 때는 사이가 좋았는데 아버지가 돌아가시면서 유산 상속 문제로 완전히 사이가 틀어졌다. 집안 행사 때는 마지못해 참석하긴 했지만 함께 술을 마시지도 않았고, 일상적인 이야기 외에는 일체 속마음을 털어놓지 않았다. 그러다 보니 점점 사이가 멀어져서 남보다 못한 사이가 됐다.

'형에게 다리를 놓아달라고 부탁해볼까?'

L 차장은 잠깐 생각해보다가 머리를 흔들었다. 이런 일로 형에게 고개를 숙인다는 건 자존심이 허락하지 않았다. 아쉽기는 하지만 어쩔 수 없다는 생각이 들었다.

인맥관리의 달인을 얼핏 보면 마치 천라지망(天羅地網)을 펼쳐놓은 듯 보인다. 그러나 속을 들여다보면 L 차장의 경우처럼 가까운 인맥관리에 허술한 사람이 의외로 많다. 형제간의 사이가 나쁜 경우도 있지만 부모나 삼촌, 혹은 처가와 사이가 나쁜 경우도 있다.

특히 나이가 엇비슷한 사촌의 경우는 대개 관리가 허술하다. '사촌이 땅을 사면 배가 아프다'라는 속담이 괜히 나온 말은 아니다. 어려서부터 비교 대상이다 보니 은연중 경쟁심이 싹트게 되고, 어른이 되면 아예 담을 쌓고 지내는 경우가 허다하다.

인간은 미래지향적인 동물이다. 살아오면서 악감정이 쌓였더라도 서로의 미래를 위해서 푸는 게 바람직하다. 혈육 간의 문제는 감정에 치우치기 쉬운데 합리적으로 사고하고 이성적으로 차근차근 풀어나갈 필요가 있다.

가까운 인맥 중에서 혈육 못지않게 중요한 인맥이 바로 직장 상사다. 상사는 위에서 나를 끌어줄 몇 안 되는 사람이다. 대개는 모시던 상사가 잘 풀리면 나의 직장생활도 잘 풀리게 되어 있다. 정말 소중한 인맥임을 나 역시 잘 알고 있고, 잘 모셔야 한다고 생각함에도 불구하고 제대로 관리하기란 쉽지 않다. 함께하는 시간이 많고 업무적으로 자주 부딪히다 보니 개인적으로 나쁜 감정이 싹트기 때문이다.

직계 상사와 사이가 나쁘거나 인정받지 못한다면 다른 곳에서 아무리 인맥관리를 잘한들 빛이 나지 않는다. 물론 예외도 있다. 조직 내에는 몇 개의 라인이 있게 마련이어서 라인을 잘 타면 성공하기도 한다. 그러나 설령 다른 라인을 잡고 있다고 하더라도 직계 상사와의 인맥관리를 소홀히 해서는 안 된다. 인맥관리의 진정한 달인이 되려면 등잔 밑을 유심히 살펴야 한다. 등잔 밑은 가장 접근하기 쉬우면서도 가장 강력한 힘을 발휘할 인맥이기 때문이다.

《명심보감》에 '멀리 있는 물은 가까운 불을 끄지 못하고, 먼 곳의 친척은 가까운 이웃보다 못하다'는 말이 있다. 사이가 멀어지면 이웃보다도 못한 게 친척이니, 가깝다고 막 대하거나 망각하지 말고 자주 연락해서 끈끈한 혈육의 정을 이어가야 한다.

　상사와의 관계 또한 마찬가지다. 가지 많은 나무 바람 잘 날 없듯이, 자주 부딪히다 보면 온갖 감정이 다 드는 게 인간관계다. 때로는 눈물이 날 만큼 섭섭하고 때로는 원수처럼 느껴지더라도, 나쁜 감정들은 붙들지 말고 그때그때 흘려보내라. 세상에는 온갖 종류의 개성을 지닌 사람들이 존재하게 마련이다. 나의 작은 생각의 틀 안에 가두려고 하지 말고, 더 넓고 호탕한 가슴으로 상사를 이해할 필요가 있다. 그래야 나도 상사의 자리에 올라서고, 더 큰 세상을 향해 나아갈 수 있다.

상대방이 원하는 것을
찾아서 줘라

     인맥은 서로의 필요에 의해서 맺어지므로 'Give & Take'가 될 수밖에 없다. 그런데 무작위로 인맥을 넓혀나가는 사람들 중에는 'Take & Give'라고 착각하는 사람이 많다. 먼저 도움을 받고 나중에 그 빚을 갚아나가겠다고 다짐하지만 세월이 흐르면 생각대로 잘되지 않는다. 인간의 심리가 화장실 들어갈 때와 나올 때가 다르듯이 수시로 바뀌기 때문이다. 'Take & Give'라고 생각하는 사람은 'Take & Take'로 관계를 끌고 가다가 어느 날 갑자기 사라져버리는 경우가 태반이다.

     인맥을 관리할 때는 '저 사람에게 무엇을 얻을까?'가 아닌 '저 사람에게 무엇을 해줘야 기뻐할까?' 하는 마음으로 다가가야 한다. 평소에도 상대방을 유심히 관찰하며 상대의 이야기에 세심히 귀를 기울이고, 상대방의 입장에서 생각해보는 지혜가 필요하다. 그래야 상대방이 도와달라고 손을 내밀 때 가장 필요로 하는 것을 줄 수 있고, 내가 필요로 할 때 적절히 도움을 받을 수 있다.

평소 상대방에 대한 관심이 없었다면 도움을 주고도 오히려 욕을 먹게 된다. 세상에는 여러 종류의 사람이 살아간다. 작은 도움에도 무척 감사해하는 사람이 있는가 하면, 작은 도움은 도움이 아니라 적선이라고 생각하는 사람도 있다. 그래서 평상시 개개인의 성향을 파악해두어야 나중에 도움을 주고도 등 뒤에서 욕을 먹는 황당한 일이 벌어지지 않는다.

인맥관리는 마음을 사로잡는 일이다. 마음을 사로잡아 내 사람으로 만들기 위해서는 투자를 해야 한다. 시간이든, 돈이든, 정성이든, 웃음이든 간에 투자를 해야 닫힌 마음의 문을 열 수 있고, 그래야 내가 도움을 청하면 달려와서 기꺼이 손을 내민다.

삶에 다소나마 여유가 있다면 베풀며 사는 게 좋다. 그러다 보면 'Give & Give'가 되기도 하는데 단기적으로 보면 분명 손해다. 그러나 인생은 길기 때문에 장기적으로 보면 큰 이익이다. 인간은 은혜를 아는 동물이다. 도움을 많이 받은 사람이 언젠가는 큰 도움을 주게 되어 있다.

물론 '믿는 도끼에 발등 찍힌다'거나 '검은 머리 짐승은 거두지 말라'는 속담처럼 은혜를 받은 상대방이 배신할 수도 있다. 배신이란 '나의 기대치를 깨는 말과 행동'이다. 일방적으로 도움을 주다 보면 상대방에 대한 기대치가 커질 수밖에 없고, 그러다 보면 상대방의 말과 행동이 그 기대치에 어긋날 때 배신감을 느끼게 된다. 따라서 배신감을 느끼지 않으려면 상대방에게 도움을 주되, 기대치를 낮추면 된다.

프랑스의 철학자 피체 찰론은 "은혜를 입은 자는 잊지 말아야 하고 베푼 자는 기억하지 말아야 한다"고 했다. '도움'이란 반드시 돌려받아야 하는 것은 아니다. 돌려주면 좋지만 안 돌려줘도 그만이라는 마음가짐을 갖고 있으면 배신당할 일도 없다. 타인을 도와주었다는 그 자체만으로도 큰 기쁨인 데다 '베풀며 산 인생'이니 결과적으로도 남는 장사 아니겠는가.

상대방이 찾아와서 도움을 청할 때는 도와줄 수 있느냐 없느냐의 기준을 '돈'으로 삼아서는 안 된다. 일단 돈을 기준으로 삼으면 상대방이 미처 말을 끝내기도 전에, 섣불리 판단하고 말허리를 자르게 된다. 섣부른 판단은 오해를 불러일으키기 십상이다. 상대방이 도와달라면서 경제적인 어려움을 토로하고 있지만 진정 원하는

것은 돈이 아닌 일자리거나, 사업할 장소거나, 고민을 들어줄 사람일 수도 있지 않겠는가.

또한 쉽게 결정을 내리면 상대방 역시 크게 고마워하지 않는다. 나 역시 어려운 상황에서 도와주는 건데도 불구하고, '아, 이 사람에게 이 정도 도움은 아무것도 아니구나!'라고 오해하기도 한다.

일단 상대방의 이야기를 처음부터 끝까지 경청하는 자세가 필요하다. 나 역시 바쁘거나 어려운 사정이라 도움을 주지 못할 처지일지라도 끝까지 들어야 한다. 그것이 관심이고 배려이다. 상대방이 힘들어하는 것은 '나쁜 상황'에 몰렸기 때문이다. 경청함으로써 상대방 스스로 상황을 돌아보고 생각을 정리할 기회를 제공하는 셈이다.

충분히 상대방의 처지를 공감했다면 도울 수 있으면 도와주고, 도움을 줄 수 없는 처지라면 솔직하게 사정을 말하고 위로나 격려를 해주면 된다. 만약 도울 수 있다면 나의 인맥과 능력을 발휘해서 화끈하게 도와주는 게 좋다. 내 사람으로 만들 절호의 기회이기도 하고, 타인을 도움으로써 순수한 기쁨을 누릴 수 있는 좋은 기회이기 때문이다.

인간은 '나쁜 상황'에 빠지면 판단력이 흐려져서 자신이 정확히 뭘 필요로 하는지 모를 때가 있다. 그렇기 때문에 상황을 상세히 설명할 수 있도록 경청한 뒤에 본질적 문제인 '나쁜 상황'을 해소해주는 쪽으로 도움을 줘야 한다.

주변 사람이 부자가 되면 나도 자연스럽게 부자가 되듯이, 주변 사람들이 원하는 것을 찾아서 주다 보면 내가 원하는 것을 얻게 된다. 도움을 줄 때는 우쭐하거나 생색내려고 하지 말고, 상대방이 가장 필요로 하는 것을 찾아서 줘라. 혼자서 열심히 돈을 모으기보다는 사람의 마음을 얻는 것이 훨씬 빨리 부자가 되는 방법이다.

화를 다스려야
마음을 얻는다

　　살다 보면 화나는 일이 적지 않다. 세상일이 내 뜻대로 흘러가지 않고, 다른 사람 마음이 내 마음 같지 않기 때문이다.

　화는 인간뿐만 아니라 야생동물도 낸다. 야생동물은 자신의 영역에 누군가 침입했을 때, 사냥한 음식물을 다른 동물이 빼앗아가려 할 때, 새끼를 지켜야 할 때 화를 낸다. 야생동물도 화가 난다고 해서 무작정 화를 표출하지는 않는다. 그들이 화를 내는 데는 나름대로 전략이 있다.

　본격적으로 화를 표출하기 전에 날카로운 이빨을 드러내고 으르렁거린다. 이는 상대에게 내가 몹시 화가 났음을 알리는 신호다. 만약 상대가 물러서지 않고 같이 으르렁거리면 화를 표출할지, 타협할지, 참고 물러설지를 놓고 갈등한다.

　내면에서 솟구친 화를 표출한다는 것은 간단하지 않다. 화를 표출할 경우 나 자신이 다칠 수도 있고, 심하면 목숨을 잃을 수도 있기 때문이다. 대개 자신의 영역을 침범당했거나 새끼를 지켜야 할 경우에는 화를 표출하며 공격을 시도한다. 그러나 음식물을 놓고 벌어진 다툼 같은 경우에는 타협해서 나눠 먹거나, 자신보다 월등히 강한 상대라고 판단되면 순순히 물러선다.

인간의 화도 이와 유사하다. 인간의 유전자 속에는 원시 시대부터 터득한 수많은 생존전략이 살아 숨 쉬고 있다. 야생동물이 화가 나면 날카로운 이빨을 드러내며 으르렁거리듯이 인간도 화가 나면 피가 솟구쳐 숨이 가빠지고, 눈동자가 커지고, 얼굴이 벌겋게 달아오르고, 온몸이 파르르 떨린다.

야생동물과 마찬가지로 인간도 쉽사리 화를 표출하지 않는다. 짧은 순간에 상대방이 나보다 강한가, 약한가를 판단해서 화를 낼지, 타협할지, 참고 물러날지를 결정한다. 그러나 인간은 야생동물보다 영악하다. 즉, 화를 자신의 의견 전달 혹은 관철의 수단으로 사용하기도 한다. 예를 들어, 군대에서 본보기로 잘못한 사병 한 명을 호되게 꾸짖는 경우가 그렇다. 나는 이런 사람이니 조심하라는 경고를 하는 것인데, 한두 번 사용하면 잘 먹힌다. 그러나 잦은 화는 나에 대한 신뢰를 떨어뜨려 상대방의 마음을 돌아서게도 한다.

화는 자신의 기대치에서 벗어났을 때 내는 것이다. 따라서 성격이 급하거나, 기준 잣대가 엄격하거나, 남 탓을 하는 사람일수록 자주 화를 낸다. 그러나 소포클레스의 명언처럼 화가 가라앉을 때 후회가 밀려오므로 가급적 자제하는 것이 좋다.

화는 다음의 세 가지가 맞아떨어질 때 표출하면 비로소 무리가 없다고 본다. 첫째 화내는 이유가 정당할 때, 둘째 내가 상처를 입을 수도 있지만 순순히 물러선다면 더 큰 상처를 입는다고 판단했을 때, 셋째 이 방법 외에는 다른 방법을 찾을 수 없다고 생각할 때이다. 그러나 이런 경우라도 화를 표출하기 전에는 어느 정도 여유 시간을 두는 게 좋다. 인간은 자기가 유리한 쪽으로 생각하고 판단하는 경향이 있다. 생각하는 시간이 짧으면 냉정한 시선으로 전체를 살피지 못하고, 감정에 치우쳐 단편적인 부분에 집착하는 오류를 저지를 수 있다.

그런데 대다수의 직장 상사는 세 가지가 맞아떨어지기도 전에 일단 화부터 내고 본다. 그런 다음 자신의 행동을 합리화한다. 즉, 정당한 상황이었고, 만약 참았더라면 부하 직원이 나를 우습게 볼

게 분명하므로, 최선의 선택이었다고 스스로 합리화하는 것이다. 이런 상사들은 부하 직원의 마음을 얻을 수 없다.

그렇다면 화가 났을 때 어떻게 대처하는 게 현명할까? 수시로 솟구치는 화에 대처하는 데는 세 가지 전략이 있다.

첫째, 화가 나기 전에 화를 다스린다.

- 평상시 칭찬하는 습관을 기른다. 화는 칭찬에 인색한 사람이 내게 마련이다. 눈높이가 높거나 기대치가 높기 때문이다. 평소 기대치를 낮추고 칭찬하는 습관을 기른다면 화를 낼 일이 현저히 줄어든다.

- 수시로 미소를 짓는다. 평상시 입가에 미소를 짓거나 소리 내서 웃는 습관을 길러라. 자주 미소 짓고, 자주 웃다 보면 화날 일도 별로 없다.

- 도인 마인드를 지닌다. 세상을 넓게 보고, 나와 다른 생각이나 의견도 존중해주는 마인드를 기른다. '세상이 다 그렇지, 뭐!', '사람이 저마다 특색이 있어야 세상이 재미있지, 모두 나와 같다면 무슨 재미가 있겠어?', '직장생활이라는 게 원래 그런 거야. 세상에 쉬운 일이 어디 있어!' 등등의 사고를 가지면 어지간한 일을 당해도 화가 나지 않는다.

둘째, 화가 날 때는 속도를 늦춘다.

- 화가 나 있는 상황임을 재빨리 인지한다.

- 의도적으로 말하는 속도를 늦추고, 언성을 낮춘다.

- 화를 참을 수 있으면 일단 참고, 자리로 돌아와서 상대방에게 편지를 쓴다. 내가 왜 화가 났는지 육하원칙에 따라 자초지종

을 적어 서랍에 넣어두었다가, 사흘 뒤에도 화가 멈추지 않으면 상대방에게 전달하고, 화가 멈추면 찢어버린다.

- 아무리 생각해도 화를 내야만 할 경우라면 상대방을 따로 불러서 화를 내되, 화를 불러온 상황에서 벗어나지 않는다. 화를 낸다는 것은 어긋난 상황을 바로잡기 위함이지 상대방을 비방하기 위함이 아니다. 그 상황에 한정해서 화를 낸다면 국지전으로 끝나지만 그 상황과 상관없는 다른 일까지 끄집어낸다면 비방이나 공격으로 받아들여져서 전면전이 될 수밖에 없다.

셋째, 화를 낸 뒤에는 평상심을 되찾는다.

- 화가 산불처럼 번지기 전에 수습한다. 내가 낸 화는 상대방에게 또 다른 화를 불러오는 법이다. 장군이 심기가 불편해 기침하면 이등병이 밤새 얼차려를 받는다고 하지 않던가. 화가 좀 누그러들었으면 다른 사람에게 번지기 전에 상대방을 불러서 다독거려준다. "내가 말을 너무 심하게 했지? 내 본마음은 그게 아니었네" 하고 다정히 한마디해주면 눈 녹듯 풀어지게 마련이다.

- 화를 냈음에도 불구하고 여전히 화가 마음속에 쌓여 있을 경우, 사무실 분위기는 물론 건강에도 안 좋다. 그럴 때는 격렬한 운동을 하거나, 산에 가서 고함을 지르거나, 빠른 걸음으로 산책을 하거나, 수다를 떨거나 해서 털어버려야 한다.

- 불꽃이 타오르고 나면 재가 남듯이 화도 표출하고 나면 마음속에 잔재가 남는다. 그럴 때는 명상을 하거나 차를 마시면서 평상시 마음을 되찾는다.

예로부터 '수신제가 치국평천하(修身齊家 治國平天下)'라고 했다. 가정을 이루고 사회생활을 제대로 하려면 나의 마음부터 다스릴 줄 알아야 한다. 그래야 상대방의 마음을 얻을 수 있고, 신뢰관계를 구축할 수 있다.

유쾌한 자리를 기웃거리지 말고
유쾌한 사람이 되어라

"어제 모임 재미있었어?"

"별로! 늘 보는 사람들이 늘 하는 이야긴데 재미있을 게 뭐 있겠어? 한쪽 구석에서 한 시간쯤 듣는 둥 마는 둥하다가 일찍 빠져나왔어."

회사 복도나 커피숍에 앉아 있다 보면 흔히 들리는 대화다.

인맥을 넓힌다고 이런저런 모임에 나가는 사람들이 많다. 모임에 나가면 처음에는 긴장해서 인사도 잘하고 호응도 잘하지만 몇 번 나가다 보면 이내 시들해진다. 의욕도 전과 같지 않아서 한 발 뒤로 물러나 '방관자'가 되는 이가 태반이다.

회사 조직도 그렇지만 모임이란 어떤 목적을 위해서 여러 사람이 모인 일종의 공동체다. 따라서 개개인의 자발적 참여에 의해서 모임의 질이 결정된다. '방관자'가 많은 모임은 질이 떨어지고 이탈자가 늘어날 수밖에 없다. 모임에 가면 긴장을 풀고 즐길 준비가 되어 있어야 한다. 회사에서 안 좋은 일이 있었거나 집안에 우환이 있을 때는 차라리 모임에 빠지는 게 낫다. 마지못해 참석하게 되면 은연중에 기분을 내비치게 마련이고, 설령 내가 아무 말도 하지 않는다 해도 나의 울적한 기분이 향기처럼 퍼져나가게 마련이다.

모임에 참석해서 인기를 얻는 사람은 주최한 사람이 아니라 공동체 의식을 갖고서 모임 자체를 즐기는 사람이다. 생각은 몸짓에 드러나게 마련이다. 뒤로 한 발 물러서서 무표정한 얼굴로 팔짱 끼고 있으면서 인기 있는 사람이 되기를 바란다면, 이는 도둑놈 심보다. 인기를 얻으려면 상체를 앞으로 내밀고 입가에는 미소를 지은 채, 누군가의 이야기에 언제라도 호응하기 위해서 활짝 웃거나 고개를 끄덕일 준비가 되어 있어야 한다.

요즘에는 스마트폰과 SNS의 발달로 각종 모임이 성행한다. 현명하게 생각하고 행동하면 좋은 인맥을 쌓기에 더없이 좋은 세상이다. 그런데 모임이 너무 많다 보니 오히려 모임의 소중함이 반감되기도 한다. 그러다 보니 유쾌한 모임을 찾아다니는 사람들이 있는데 그 어디에도 유쾌한 모임은 없다. 어떤 모임이든 내가 유쾌한 사람이 되어야만 모임이 유쾌하게 느껴진다. 마음의 빗장을 풀고 작은 일에도 연신 미소를 지을 때 비로소 좋은 사람을 만나 인연을 맺을 수 있다.

인맥관리를 잘하려면 인간에 대한 관심이 전제되어야 한다. 인간에 대한 관심이 부족하다면 인맥관리란 마지못해 해야 하는 숙제가 될 수밖에 없다.

나와 동시대를 살아간다는 것은 정신적인 일체감을 느낄 수 있고, 희로애락을 함께 나눈다는 의미이다. 서로의 마음만 통한다면 돈이 있고 없고, 지위가 높고 낮음을 뛰어넘어 영혼의 교류가 가능하다.

그 첫걸음은 관심이다. 로렌스 굴드는 이렇게 말했다.

"관심을 받고 싶거든 다른 사람에게 관심을 표현하라. 이 점을 이해하지 않으면 아무리 능력이 있더라도 타인과 사이좋게 지내기란 불가능하다."

가장 친한 친구와의 기억을 더듬어보라. 그와도 분명 처음 만나는 순간이 있었고, 누군가 관심을 드러냈기에 친구가 될 수 있었다. 나이를 먹어도 친구를 사귀는 방식은 같다. 내가 먼저 관심을 가져야 친구가 될 수 있다. 물론 다른 사람이 먼저 다가와서 친구가 될 수도 있다. 그러나 그러기 위해서는 하염없이 기다려야 하고, 영원히 그 순간이 오지 않을 수도 있다.

긴장을 풀고 모임을 즐겨라. 모임에 가기 전 거울 앞에서 미소를 지어라. 모임 장소로 가는 동안 나지막하게 노래를 부르든지 콧노래를 흥얼거려라. 업무에서 탈출한 기분이 들거든 이렇게 소리 내서 말해보라.

"잠시 뒤면 내가 좋아하는 사람들을 만나게 될 거야. 그들을 다시 볼 수 있어서 기뻐!"

모임은 업무의 연장이 아니다. 업무는 끝났고, 이제 즐길 시간이다. 모임에 가면 신비주의 콘셉트인지, KGB 콘셉트인지 입을 꼭 다물고 있는 사람들이 있는데 타인과 가까워지려면 '자기 공개'는 필수다. 마음의 문을 꼭 닫고 있어서는 그 누구의 마음도 열 수 없다. 내가 먼저 마음의 문을 열고 나를 드러내야 비로소 다른 사람들도 마음의 문을 연다.

인맥관리의 핵심은 '성공'이 아닌 '행복'에 있다. 성공하기 위해 사람을 만나지 말고, 행복해지기 위해 사람을 만나야 한다. 사람을 사귀는 과정 자체를 즐기고, 그 사람을 진정으로 좋아하게 되면 성공은 그림자처럼 따라붙는다.

함께 가는 길,
손잡고 가자

　　　　　H는 중소기업에 근무하는 37세 노총각이다. 그는 친척 소개로 만난 다섯 살 연하의 여성과 반년째 연애 중이다. 혼기를 넘긴 터라 결혼을 전제로 한 만남인데 좀처럼 진척이 없다. 한 달 전쯤 결혼하고 싶다는 의사를 농담 삼아 슬쩍 내비쳤다. 그러나 그녀는 묵묵부답이었다. 분명 싫어하는 것 같지는 않은데 그렇다고 썩 내켜하는 것 같지도 않았다.

　'정식으로 프러포즈를 해볼까?'

　잠시 고민하던 H는 고개를 흔들었다. 3년 전, 프러포즈를 했다가 거절당했을 때의 쓸쓸함과 참담함이 되살아났기 때문이다.

　'그래도 이대로 손 놓고 있을 수는 없어. 뭔가 해야 해!'

　이번 기회를 놓치면 평생을 마음에도 없는 독신주의자 행세를 하며 살아야 할지도 몰랐다. H는 마음이 바짝바짝 타들어갔다. 그녀를 붙잡고는 싶지만 눈 씻고 둘러봐도 마땅히 내세울 만한 게 없었다. 집안은 평범했고, 가방끈도 짧아서 학벌은 고등학교 졸업이 전부였다. 못생긴 건 아니지만 그렇다고 눈에 띨 정도로 헌칠한 것도 아니었다. 직장생활 15년 차이다 보니 연봉은 어느 정도 됐다. 그러나 대기업 다니는 친구들과 비교하면 절반이 조금 넘는 수준이었다. 가진 거라고는 악착같이 모아서 장만한 강북의 작은 아파트 한 채뿐이었다.

며칠을 고민해봤지만 답이 나오지 않았다. H는 야외로 바람 쐬러 갔다가 술을 한잔 마신 뒤, 될 대로 되라는 심정으로 그녀에게 모든 사실을 털어놓았다. 마음을 비우고 절친한 선후배 사이처럼 허물없이 술을 마셨는데, 며칠 뒤 그녀로부터 '좋아요! 우리 결혼해요!'라는 문자 메시지가 날아왔다. H는 전율에 떨다가 술에 만취해서 그녀에게 속마음을 털어놓았던 기억을 떠올렸다.

"숨 막히는 도시를 떠나서 자연을 벗 삼아 여유롭게 살고 싶어. 내 꿈은 착실하게 돈을 모아서 경치 좋은 곳에다 작은 음식점을 차리는 거야. 내가 어렸을 때부터 잘하는 게 딱 한 가지 있는데 그게 바로 요리거든! 음식점을 차리면 주방은 내가 맡을 테니까 넌 카운터를 맡아. 식당 주변에는 진달래와 국화를 심을 거야. 꽃이 만개하면 봄에는 진달래로, 가을에는 국화로 화전을 부쳐서 손님상에 올릴 거야."

인맥을 맺는 과정은 남녀가 사귀는 과정과 다르지 않다. 처음에는 서로 다른 개체인 '나'와 '너'로 만나서 조심스럽게 탐색전을 벌인다. 신뢰할 만한지, 능력은 어느 정도인지, 성격은 괜찮은지 등등을 파악한다. 만남이 잦아지다 보면 서로에 대해서 호감을 갖게 되고, 괜찮은 사람이다 싶으면 비로소 마음의 문을 연다.

그러나 아직까지 '우리'는 아니다. '나'와 '너'가 우리가 되기 위해서는 동료애가 필요하다. '나'는 여전히 나로서 존재하고, '너' 역시 너로서 존재하지만 '우리'가 되면 인맥의 시너지 효과가 극대화된다. 필요에 따라서 나의 인맥과 능력을 너에게 보태주고, 너의 인맥과 능력을 나에게 보태줄 수 있기 때문이다.

우리가 되기 위해서는 동료애와 비전이 필요하다. 동료애는 같은 상황에 처하면 저절로 생긴다. 군대에서 동료애가 쉽게 싹트는 까닭은 같은 조건 속에서 같은 훈련을 받기 때문이다. 몸으로 부딪치며 함께 힘겨운 과정을 이겨내다 보면 저절로 동료애가 싹튼다. 입사 동기들과도 처한 상황이 비슷하기 때문에 희로애락을 함께 나누다 보면 저절로 동료애가 싹트게 마련이다.

비전이란 '바람직한 미래상'을 의미한다. 훌륭한 리더는 비전을 제시해서 꿈과 희망을 심어주면서 함께 가야 할 길을 제시한다. 좋은 비전은 동료애를 불러오고, 일하고 싶은 의욕을 불어넣는다.

비전은 개인의 삶에도 필요하다. 헬렌 켈러는 비전에 대해서 이렇게 말했다.

"마음속의 공포심 외에 두려워할 것은 아무것도 없다. 내일의 성취는 오늘의 비전과 꿈에 의해서 결정된다. 세상에서 가장 안타까운 사람은 볼 수 있는데도 비전을 갖지 못하는 사람들이다."

술에 취한 H는 그녀에게 비전과 함께 목표를 제시했다. 자연을 벗 삼아 여유롭게 살고 싶다는 것이 비전이라면, 돈을 모아서 식당을 차리겠다는 것은 목표다. 목표는 일정한 시간이 지나 달성하고 나면 사라지지만 비전은 계속 이어진다.

비전은 사업가나 개인에게도 중요하지만, 인맥관리를 할 때도 중요하다. 적절한 비전은 동료애를 심화시킨다. 비전을 가슴 깊은 곳에 품고 있지만 말고, 좋은 사람이라고 판단했다면 서슴없이 제시하라. 상대가 나의 비전에 기꺼이 동참할 수도 있고, 설령 동참할 수 없는 처지라면 알게 모르게 도움을 줄 수도 있다. 각자 외롭게 다른 곳을 보며 가는 것보다는 함께 같은 곳을 바라보며 가는 길이 행복하지 않겠는가.

배움에는
나이와 지위가 없다

인맥관리의 큰 즐거움은 다양한 사람을 만날 수 있다는 점이다. 대인관계를 잘하는 사람은 새로운 인물을 만날 생각을 하면 가슴이 설렌다. 그 설렘의 이면에는 상대에게 무언가를 배울 수 있으리라는 기대감이 잠재해 있다.

배우려고 마음먹으면 세상 만물이 스승이라고 하지만 인간만큼 다양한 영감을 주는 훌륭한 스승은 많지 않다. 입이 쩍 벌어지는 놀라운 발명품도 인간이 만들고, 가슴이 벅차오르는 위대한 명화도 인간이 제작하고, 웅장하고 아름다운 건축물도 인간에 의해서 지어진다. 위대한 업적과 사상을 남긴 인간은 그야말로 살아 있는 교과서이다.

성공으로 향하는 과정에서는 수많은 실패가 있게 마련이다. 그래서 실패담은 성공담 못지않게 유익하다. 인간은 비슷한 심리를 지니고 있기에 같은 실수는 계속 반복된다. 다른 사람의 실패담은 누군가에게는 성공의 열쇠가 되기도 한다.

베스트셀러 작가 앤드류 매튜스의 말처럼 우리 삶 속으로 걸어 들어오는 사람은 모두 우리의 스승이다. 상대의 지위 고하를 막론하고, 나이나 재물이 많고 적고에 상관없이, 배우려는 마음만 있다면 무엇이든 배울 수 있다. 따라서 세상에서 가장 현명한 이는 학식이 높은 사람이 아니라, 타인들과의 만남을 통해서 무언가를 끊임없이 배우는 인물이다.

대인관계에서는 무언가를 배우겠다는 자세가 중요하다. 사람은 자신에게 관심을 갖는 이에게 관심을 주게 마련이다. 나의 세계에 관심을 갖고, 내가 흥미를 느끼는 화제로 대화하려는 사람을 어찌 좋아하지 않을 수 있겠는가. 이런 사람과는 평범한 관계를 넘어서서 특별한 관계로 이어지게 마련이다. 서로 명함을 건네고 안면을 익히는 식의 인맥관리보다는 한 차원 높은 인맥 구축이라고 할 수 있다.

그런데 많이 배운 사람일수록, 나이가 많을수록 고집쟁이가 많다. 스스로 충분히 공부했다고 자평하고, 세상에 대해 알 만큼 안다고 생각하기 때문인지 타인을 통해 무언가를 배우려는 의지가 부족하다. 이런 사람은 처음에는 환영받지만 시간이 지나면 점점 따돌림을 당하게 마련이다.

《논어》〈위정편(爲政篇)〉에는 이런 말이 있다.

학이불사즉망 사이불학즉태(學而不思則罔 思而不學則殆)

배우기만 하고 생각하지 않으면 얻는 것이 없고,
생각하기만 하고 더 배우지 않으면 위태롭게 된다.

아무리 훌륭한 스승의 강의를 듣는다 한들, 스스로 생각해서 그 이치를 깨닫지 않으면 배웠다고 할 수 없고, 생각만 하고 더 이상 배우기를 멈춘다면 독단에 빠져서 곤경에 처할 수 있다.

사람을 많이 만나다 보면 그 사람의 눈빛과 몸짓만으로도 상대의 생각을 대충 짐작할 수 있다. 대인관계에 서툰 사람은 눈빛이 흔들리고 몸짓이 소극적이다. 사람을 만난다는 것 자체에 두려움을 갖고 있기 때문이다. 대인관계에 능통한데 목적 자체가 인맥을 넓히려는 데 있는 사람은 목소리도 활기차고 동작도 크다. 그런데 눈동자가 한 곳에 머물지 못한다. 머릿속에서 여러 생각이 교차하고 있기 때문이다. 반면 만남을 통해서 뭔가 배우려는 사람은 눈동자가 반짝반짝 빛이 난다. 별 대수롭지 않은 이야기를 해도 진지하게 경청하다가 말이 끝나면 예리한 질문을 던져서 대화의 수준을 높여 나간다. 이런 사람은 한 번뿐인 만남일지라도 기억에 오래 남는다.

대인관계가 불편하다면 마음속으로 스승을 만나는 자리라고 생각하라. 배우겠다는 겸허한 마음가짐으로 접근하면 좋은 결과를 맺을 수 있다. 한국 사람들은 나이가 어린 사람이나 지위가 낮은 사람을 깔보는 경향이 있는데, 대인관계를 잘하려면 이런 구태의연한 사고방식은 벗어버려야 한다.

대인관계를 잘하려면 마음이 젊어야 한다. 포드를 설립하고 자동차의 대중화를 선도한 헨리 포드는 농민의 아들로 태어났지만 평생 배움의 끈을 놓지 않았다. 그는 이렇게 말했다.

"배우기를 그쳤다면 스무 살이든 여든 살이든 간에 이미 늙은 것이다. 그러나 항상 배움의 끈을 놓지 않는다면 여전히 젊다. 삶에서 가장 위대한 일은 정신을 늘 젊게 유지하는 것이다."

배움에는 나이와 지위가 없다. 그가 어떤 사람이든 배우겠다는 자세로 다가가라. 인맥이 넓어질수록 훨씬 더 지혜로워지고, 인생도 풍요로워질 것이다.

말을 잘하려고 하기보다는
기품 있게 말하라

예로부터 말은 불화와 재앙의 원인이었다.

당나라가 망한 뒤 송나라가 세워지기까지를 '5대10국 시대'라 부른다. 후당(後唐), 후량(後梁), 후주(後周), 후진(後晉), 후한(後漢)을 오대(伍代)라 부르는데 54년 동안 무려 열 명의 황제가 바뀌고, 다섯 차례나 나라의 주인이 바뀌었다.

역사의 혼란기에 다섯 황조에 걸쳐 여덟 개의 성씨를 지닌 열한 명의 황제를 섬긴 인물이 있었으니 그가 바로 풍도(馮道)이다. 그는 손바닥 뒤집듯 바뀌는 정권하에서 50년 동안 관리로 살며 23년 동안 재상을 지내다, 73세를 일기로 눈을 감았다.

그렇다면 과연 그의 처세술은 무엇이었을까? 당나라 때의 시들을 모아놓은《전당시(全唐詩)》에 그가 지은 한시 '설시(舌詩)'가 실려 있다.

구시화지문(口是禍之門, 입은 재앙을 불러들이는 문이요)

설시참신도(舌是斬身刀, 혀는 몸을 자르는 칼이로다)

폐구심장설(閉口深藏舌, 입을 닫고서 혀를 깊이 감추면)

안신처처뢰(安身處處牢, 가는 곳마다 몸이 편안하리라)

후세의 학자들은 풍도가 여러 황제를 모셨다는 이유로 '간신', '변절', '불충', '소인'으로 평가절하했다. 그러나 당시의 황제들은 그를 수하에 두기 위해서 노심초사했다.

풍도는 열심히 학문을 닦던 가난한 선비였다. 나라가 극도로 혼란스러워지자 지방 세력들이 기세를 떨쳤다. 풍도는 유주지사인 유수광 밑에서 관리를 지냈는데, 책에서 배운 곧이곧대로 세력 확장을 멈추고 대의에 따라서 황제를 모시라고 충언했다가 하마터면 목숨을 잃을 뻔했다. 위기를 넘긴 그는 비로소 신하의 역할에는 한계가 있고 말에도 기품이 있다는 사실을 크게 깨닫고, 섣부른 말과 행동을 조심하기 시작했다.

그 뒤로는 자신에게 주어진 업무에 충실하고 근검절약하며, 윗사람은 물론이고 아랫사람에게도 몸을 낮추었다. 흉년이 들자 재산을 가난한 농민들에게 나눠주었고, 노약자를 도와서 손수 농사를 짓기도 하였다. 백성과 희로애락을 함께하면서 억울한 누명은 벗겨주고, 타인의 허물은 덮어주고, 재능 있는 인재는 고르게 등용하고, 주색잡기를 멀리하자, 그의 명성이 이웃 나라에까지 자자하였다. 거란의 황제는 사신으로 온 그를 흠모하였고, 후진이 멸망한 뒤에는 거란의 황제에게 중용되었다.

사람 목숨이 파리보다도 못한 세월이었다. 말 잘하는 사람들이 세 치 혀로 중용되었다가 세 치 혀 때문에 목숨을 잃었다. 풍도가 난세에 황제들의 마음을 사로잡았던 비결은 바로 그의 말이 지닌 '기품' 덕분이었다. 책에서 배운 지식을 그대로 전하는 것이 아니라, 몸으로 직접 백성의 어려움과 신하된 자로서의 고충을 함께 겪고 난 뒤에 간언하였기에, 그 누구도 그의 말을 경시할 수 없었다.

　　말은 각양각색이다. 시장 상인이 쓰는 말과 백화점 직원이 쓰는 말이 다르고, 고등학생이 쓰는 말과 대학 교수가 쓰는 말이 다르고, 감옥에서 쓰는 말과 수도원에서 쓰는 말이 다르다. 그러나 시장 상인의 말이라고 해서 백화점 직원의 말보다 기품이 없다고는 볼 수 없다. 장소나, 나이, 지위도 중요하지만 어떤 사람이 어떻게 쓰느냐에 따라서 달라지기 때문이다.

고대 그리스의 철학자 데모크리토스는 이렇게 말했다.

"그릇은 소리로써 깨어진 것을 알 수 있고, 사람은 말로써 그의 지식을 알 수 있다."

말은 지식을 드러내는 도구인 것만은 분명하다. 그러나 반드시 생각과 인격을 드러내는 도구는 아니다. 오히려 감추는 도구로 사용되기도 한다. 그래서 사람들은 단점은 감추고 장점을 드러내기 위해서 '말 잘하는 법'을 배우고 싶어 한다.

말 잘하는 것과 기품 있게 말하는 것은 다르다. 인맥관리를 할 때는 말 잘하기보다는 기품 있게 해야 한다. 말에 기품이 있으려면 말과 행동이 일치해야 한다. 언행이 일치하지 않는 CEO의 말보다는 비록 시장에서 생선을 팔지라도 언행이 일치하는 사람의 말이 더 기품 있다.

높은 자리에 오를수록, 사업을 하는 사람일수록 기품 있는 말과 행동에 신경 써야 한다. 만약 전쟁터에서 장수가 부하에게 명령을 내렸는데 아무도 명령을 따르지 않는다면 어떤 일이 벌어지겠는가.

말을 번지르르하게 하는 사람들은 여전히 차고 넘치는 세상이다. 그러나 기품 있게 말하는 사람은 그리 많지 않다. 내가 진심으로 하는 말을 주변 사람들이 한 귀로 듣고 한 귀로 흘려버린다면, 나의 행동을 곰곰이 돌아봐야 한다.

존중하고,
존중하라

미국의 심리학자 에이브러햄 매슬로는 인간은 만족할 수 없는 욕구를 타고났으며 욕구를 채우는 것을 목표로 한다고 주장했다. 그는 하위 단계의 욕구가 채워지면 상위 단계의 욕구를 갖게 된다면서 '욕구 5단계론'을 내놓았다. 하위 단계인 '생리적 욕구'나 '안전 욕구'가 채워지면 집단에 대한 '소속과 애정에 관한 욕구'를 갖게 되고, 이어서 '자기 존중의 욕구'를 갖게 되며, 마지막으로 '자아실현의 욕구'를 갖게 된다는 것이다.

사회적 동물인 인간은 집단에 소속되기를 원하며, 그 집단 속에서 존중받기를 원한다. 가정에서는 물론이고, 직장에서도 존중받고 싶은 욕구에 사로잡혀 있다. 직원들은 CEO가 자신을 어떻게 생각하고 있으며 얼마나 존중해주는지에 대해 지대한 관심을 갖고 있다. 또한 대다수 직원은 마음속에 천칭저울을 갖고 있어서 CEO가 자신을 공정하게 대하고 있는지 수시로 재본다. 저울이 한쪽으로 기울었다고, 즉 자신이 존중받지 못하고 있다고 생각하면 낙담하거나 분노한다. 자본주의 사회의 논리에 젖어서, 돈을 준 만큼 일을 시킨다는 의식은 공정한 듯 보이지만 자칫하면 노예근성을 불러올 수 있다. 노예근성에 젖는 순간, 창의력을 잃고 자발성을 잃는다. 버튼을 누르면 시키는 일만 하는 시스템 로봇과 다를 바 없는 인간으로 전락한다.

일개 세일즈맨으로 출발해 세계적인 화장품 회사를 세워서, 1999년 라이프 TV에서 선정한 20세기 가장 성공한 비즈니스우먼으로 뽑히기도 했던 메리케이의 창립자 메리 케이 애시는 직원의 잠재능력을 최대한 끌어내는 경영자로도 유명하다. 그녀의 인생을 이끈 것은 존중이다.

메리 케이 애시는 직장에 다니는 어머니를 대신해서 일곱 살 때부터 생필품을 사야 했고, 집안일을 해야 했고, 병든 아버지를 돌봐야 했다. 그녀가 어떤 요리를 어떻게 해야 할지 몰라서 어머니에게 전화를 걸면 어머니는 그녀에게 '넌 할 수 있다!'며 자신감을 북돋워주었다. 어머니는 그녀를 어린 딸이라고 감싸고 돈 게 아니라 한 인격체로 존중해주었고, 그렇게 싹튼 자신감은 그녀 자신에 대한 존중으로 이어졌다.

뮤지션과 결혼했다가 아이 셋 딸린 이혼녀가 된 메리 케이 애시는 가정용품을 방문판매하는 세일즈우먼으로 취직했다. 기차비가 없어서 12달러를 빌려 댈러스에서 매년 열리는 세일즈 회의에 참석한 그녀는 그해의 세일즈 여왕에게 주는 왕관과 악어 가방에 매료

된다. 그녀가 사장을 찾아가서 "내가 다음 해의 여왕이 되겠다"고 하자, 사장은 그녀의 눈을 정면으로 들여다보며 힘주어 말했다.

"그래요! 당신은 분명 세일즈 여왕이 될 겁니다."

비록 수많은 신입사원 중 한 명에 불과했지만 사장은 그녀를 존중했다. 하늘처럼 우러러보던 사장으로부터 존중받고 있다는 충만감은 자신감으로 이어졌고, 그녀가 자신의 능력을 최대한 이끌어내는 데 힘이 되어주었다. 그녀는 이듬해에 정말로 세일즈 여왕이 되었다.

메리 케이 애시는 48세의 적잖은 나이에 전 재산인 5천 달러를 털어서 화장품 회사를 시작했는데 1년 만에 20억 달러의 매출을 올렸다. 아홉 명이었던 화장품 판매원은 2년도 채 안 되어서 1만 명으로 늘어났다. 타인에게 존중받는다는 것이 얼마나 중요한지를 일찍부터 깨달은 그녀는 직원들을 최대한 존중했다.

1984년에 출간된, 자신의 성공 비결을 다룬 《핑크 리더십》에서 그녀는 이렇게 말했다.

'북적대는 방에서 누군가와 대화한다면 나는 그 방에 우리 둘만 있는 것처럼 그를 대한다. 모든 것을 무시하고 오로지 그 사람만 쳐다본다. 고릴라가 들어와도 나는 신경 쓰지 않을 것이다.'

그녀는 사람을 만나면 그가 누구든지 간에 가슴에 '존중받고 싶다'는 보이지 않는 목걸이가 걸려 있다고 생각하고, 오직 그의 이야기에 귀를 기울이라고 조언했다.

대인관계에서 '존중'에 대한 중요성은 아무리 강조해도 지나치지 않다. 미국에서 일어나는 총기 난사 사건이나 한국에서 일어나는 자살의 경우, 그 속을 들여다보면 사회나 타인으로부터 충분히 존중받지 못한 데서 오는 분노와 절망감이 깔려 있다.

정보화 사회는 열려 있어서 쉽게 소통한다는 장점도 있지만 개인의 삶이 쉽게 노출된다는 단점도 있다. 따라서 사람들은 그 어느 시대보다도 타인으로부터 존중받고 싶은 욕구에 사로잡혀 있다. 그런데 문제는 존중받고 싶은 만큼 타인을 충분히 존중하지 못한다는 데 있다.

세상살이는 복잡한 듯 보이지만 의외로 간단하다. 연하장을 많이 받고 싶다면 크리스마스 때 카드를 많이 보내면 된다. 선물을 받고 싶다면 주변 사람들에게 선물을 많이 하면 된다. 칭찬받고 싶다면 상대방을 칭찬하면 되고, 존중받고 싶으면 상대방을 먼저 존중해야 한다.

아내에게 존중받고 싶다면 아내를 먼저 존중하라. 아내가 밥상을 차려주면 묵묵히 먹지만 말고 이렇게 말하라.

"고마워요. 음식이라는 게 손도 많이 가고 여간 번거로운 일이 아닌데 매번 이렇게 정성껏 차려줘서……."

퇴근하고 밤늦게 집에 돌아오면 아내에게 먼저 말하라.

"오늘 집안일 하고 아이들 돌보느라 고생 많았지?"

부하 직원에게 존중받고 싶다면 부하 직원을 먼저 존중하라. 일을 시켰으면 당연히 잘해야 한다고 생각하지 말고 입을 열어 칭찬하라.

"수고 많았어. 열심히 일한 흔적이 곳곳에서 보이네."

물론 내가 타인을 존중한다고 해서 타인이 나를 존중해준다는 법은 없다. 그렇기 때문에 메리 케이 애시처럼 먼저 나를 존중하는 법을 배워야 한다. 내가 존중해주었음에도 불구하고 상대가 나를 무시하거나 경멸할지라도 실망하거나 분노해서는 안 된다. 나는 그들의 잘못된 평가에 쉽게 흔들릴 정도로 나약하고 무능한 사람이 아니기 때문이다.

내가 상대를 존중했는데 무시당했다면 상대의 인성에 문제가 있을 수도 있지만 대개는 내가 제대로 존중하지 못했기 때문이다. 물론 상대를 존중해서 충분히 대접했음에도 불구하고 좋은 평가를 받지 못하는 경우도 더러 있다. 그런 경우는 대개 나의 직위나 경제적 능력, 내가 한 일에 스스로 취해서 상대에 대한 예의를 잃어버렸기 때문이다.

존중받고 싶다면 존중하라. 상대방을 존중하고, 나를 존중하라. 단, 그 어떤 경우에도 예의를 잃어버리지 마라.

"당신은 참좋은 사람이야!"라고 말하라

인간의 뇌는 불가사의하다. 현대 과학도 뇌에 대해서만큼은 아직 밝혀내지 못한 부분이 많다. 뇌가 대단한 능력과 가능성을 지녔음은 분명하다. 그러나 뇌는 컴퓨터처럼 정확하거나 공정하지는 않다. 게다가 이성적이라기보다는 다분히 감정적이다.

특히 나에 대해서는 무척 관대하다. 나의 외모부터 내가 지닌 능력이나 품성, 지능 등을 과대평가한다. 왜냐하면 세상의 주인공은 바로 나라고 생각하기 때문이다.

다른 사람이 로또를 사면 당첨 확률을 따지며 머리를 좌우로 흔들다가도, 내가 사면 당첨될 것 같은 착각에 빠진다. 타인이 베푼 작은 선행은 대수롭지 않게 여기지만 내가 베푼 선행에는 대단한 가치를 부여하며 흐뭇해한다.

뇌는 '주인공 놀이'를 하느라 분주하다. 수시로 세상의 주인공이 되는 상상을 하며, 환경이나 조건이 받쳐주지 않아서 주인공이 될 수 없는 상황에서는, 정보를 조작하면서까지 나를 세상의 중심에 세운다.

사람들이 가장 많은 관심을 기울이고 있는 것은 '우주 평화'도 아니고, '식량 부족 문제'도 아니고, '지역 발전'도 아니고, '친구의 성공'도 아니고 바로 '나 자신'이다. 인간의 뇌는 수많은 정보 중에서 나에게 유리한 내용만 재빨리 잡아내고 기억한다. 특히 나와 관련된 정보는 떠들썩한 광장에 서 있을지라도 귀신처럼 포착한다.

인간의 뇌는 나 자신에 대한 정보에 목말라 있다.

'나를 어떻게 생각할까?'

'오늘 내가 한 말과 행동에 대해서 어떻게 생각할까?'

'내가 올린 서류를 어떻게 생각할까?'

그래서 칭찬이라도 한마디 들으면 세상을 다 얻은 듯 기뻐하고, 질책이라도 들으면 하늘이 무너진 듯 몹시 낙담한다.

내가 기아자동차 영업본부장을 끝으로 현대차, 기아차 구매총괄본부장으로 발령받고 얼마 지나지 않았을 때의 일이다. 구매총괄 분야는 조직원들의 사기 진작이 중요하기 때문에 작은 칭찬거리라도 발견하면 수첩에 적어뒀다가 잊지 않고 칭찬해주곤 했다. 한번은 구매기획팀장과 점심을 먹다가 이틀 전에 만났던 박 과장을 칭찬해주려고 했는데 갑자기 이름은 물론이고 성마저도 생각나지 않았다. 수첩도 사무실에 놓고 온 터라서 어쩔 수 없이 이렇게 말했다.

"구매기획팀에 그 친구…… 참 좋은 사람 같아! 표정도 밝고 인사성도 좋더라고."

구매기획팀장은 "네? 누구 말씀이신지요?"라고 물었지만 나는 기억이 나지 않아서 대충 얼버무린 뒤 화제를 바꿨다. 그러다 얼마 뒤, 기획팀 사무실을 찾았는데 전과는 느낌이 확연히 달랐다. 하나같이 달처럼 환한 얼굴로 씩씩하게 인사했다. 팀장의 이야기를 전해 듣고, 저마다 칭찬의 주인공은 바로 자신이라고 확신한 듯했다.

사람은 저마다 내가 세상의 주인공이라는 착각 속에서 살아간다. 그러나 착각이 꼭 나쁜 것만은 아니다. 내가 세상의 주인공이라는 의식이 있기 때문에 불가능해 보이는 일에 도전할 수 있고, 대가 없이도 신념이나 타인을 위해서 나 자신을 희생할 수 있고, 열악한 환경 속에서도 스스로를 격려해가며 꿈을 향해 달려갈 수 있다.

그러나 대인관계를 할 때는 상대방이 나를 어떻게 생각하고, 어떻게 평가할지에 대한 생각은 일단 접어두는 게 좋다. 그래야 상대방에 대해 깊은 관심을 기울일 수 있고, 제대로 경청할 수 있고, 배려할 수 있다.

상대방에 대한 배려 중 하나는 상대에 대한 나의 마음을 표현하는 일이다. 대다수의 사람은 '내가 이 정도 해주면 굳이 말하지 않아도 내 마음을 알겠지' 하고 섣불리 판단하는데, 말해주지 않으면 절대로 모른다. 왜냐하면 저마다 성문을 닫아걸고 성안에서 꼼짝하지 않기 때문이다. 상대방과 화끈하게 소통하고 싶다면 내가 먼저 성문을 열고 나가서 상대방의 성문 앞에서 소리쳐야 한다.

"당신 참 좋은 사람이야!"

그 말을 듣는 순간, 상대방은 비로소 성문을 열고 나와서 나를 바라본다. 눈동자는 커지고 뇌의 움직임은 활발해지고 맥박은 빨라진다. 그동안 수없이 만났음에도 불구하고, 마치 나를 처음 본 것처럼 유심히 쳐다본다. 그때 내가 상대방의 손이라도 가볍게 잡아준다면 아마 오랫동안 그 순간을 잊지 못하리라.

괴테는 관계에 대해서 이렇게 말했다.

"남의 좋은 점을 발견할 줄 알아야 한다. 그리고 남을 칭찬할 줄도 알아야 한다. 그것은 남을 나와 동등한 인격으로 생각한다는 의미다."

내가 세상의 주인공이듯이 상대방도 세상의 주인공이다. 감정 표현이나 칭찬에 인색하지 마라. 오늘이라도 당장 다가가고 싶은 사람에게 가서 이렇게 말하라.

"당신 참 좋은 사람이야!"

편안한 사람이
되어라

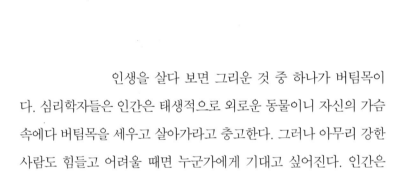

　　인생을 살다 보면 그리운 것 중 하나가 버팀목이다. 심리학자들은 인간은 태생적으로 외로운 동물이니 자신의 가슴속에다 버팀목을 세우고 살아가라고 충고한다. 그러나 아무리 강한 사람도 힘들고 어려울 때면 누군가에게 기대고 싶어진다. 인간은 신처럼 완전한 존재가 아니기 때문이다.

　대인관계를 통해 인맥을 넓히려는 이유 중 하나도 바로 '버팀목'이 필요하기 때문이다. 내가 어디로 가야 할지 몰라 방황하고 있을 때는 길을 제시해주고, 흔들릴 때는 바로잡아주고, 지치고 힘들 때는 편안하게 등을 기댈 수 있도록 해주고, 실패의 늪에서 허덕이고 있을 때는 기꺼이 손을 내밀어주는 사람. 쉘 실버스타인의 동화 속에 등장하는 '아낌없이 주는 나무'처럼 그런 사람을 찾기를 희망하지만 현실 속에서 만나기란 쉽지 않다.

버팀목에 대한 사람들의 갈증은 '멘토'로 변형되어 어느 날 갑자기 우리에게 찾아왔다. '멘토(Mentor)'는 그리스 신화에서 비롯되었다. 오디세우스가 트로이 전쟁을 떠나면서 아들을 보살펴달라고 친구에게 맡겼는데, 그 친구의 이름이 바로 멘토였다. 멘토는 오디세우스가 돌아올 때까지 때로는 아버지가 되어서, 때로는 스승이 되어서, 때로는 친구가 되어서 아들을 보살펴주었다. 그 뒤로 멘토는 '지혜와 신뢰로 인생을 이끌어줄 만한 스승 내지는 선배'라는 의미로 사용되고 있다.

기업에서는 전문가를 양성하거나 신입 사원의 업무 적응을 돕기 위해 '멘토링 제도'를 적절히 활용하고 있다. 풍부한 경험과 전문지식을 지닌 멘토의 조언은 현장에서 유용하다. 흔히 범하기 쉬운 오류나 실패를 막아주고, 다음 단계로 가는 가장 빠르고 확실한 길을 알려준다.

꿈을 향해 달려가는 사람에게도 '멘토링 제도'는 필요하다. 꿈의 사다리를 오르는 데 필요한 구체적이고 실제적인 조언을 해줄 수 있는 데다 때로는 손을 내밀어서 끌어주기 때문이다. 잘만 활용한다면 꿈을 이루는 데 큰 보탬이 된다.

'멘토링 제도'는 인맥관리에 활용하면 아주 좋다. 세상에 완벽한 인간은 없다. 장점이 있으면 단점도 있듯이, 잘하는 분야가 있으면 못하는 분야도 있게 마련이다. 속담에 '세 살 먹은 아이에게도 배울 것이 있다'고 하지 않는가. 마음만 열면 대인관계를 통해 서로가 서로에게 멘토가 될 수 있다.

나이를 먹으면 먹을수록 뇌의 유연성이 떨어진다. 그래서 나이

많은 사람 중에는 고집쟁이도 많고, 성격이 까칠한 인물도 많다. 이런 사람은 좋은 멘토가 되기 힘들다.

다른 사람의 멘토가 되려면 먼저 나 스스로 편안한 사람이 되어야 한다. 그래야 마음의 문이 열려서 내가 다가가든지 상대방이 다가올 수 있다.

편안한 사람이 되려면 움켜쥐려고 하기보다는 내려놓는 법부터 배워야 한다. 상대가 나를 존중해주기를 바라는 권위 의식을 내려놓고, 배우려고 하기보다는 가르치려 드는 교만을 내려놓고, 호감을 얻기 위해서 마음에도 없는 말과 행동을 하는 위선을 내려놓고, 잘난 체하고 싶은 자기중심적인 독단적 마음을 내려놓고, 출세를 위해서 상대방을 이용하려는 목적 의식 등등을 내려놓아야 한다.

또한 상대방이 어색해할 때는 잡담이나 가벼운 농담도 할 줄 알아야 하고, 상대방이 어떤 이야기를 해도 진지하게 경청할 줄 알아야 하고, 상대방의 아픔을 공감할 수 있는 따뜻한 마음을 지녀야 하고, 결점이나 잘못을 덮어줄 아량이 있어야 하고, 언제든지 찾아가도 기꺼이 반겨주는 열린 마음을 지녀야 한다.

편안한 사람은 비록 처음에는 주목받지 못할지라도 시간이 지나면 지날수록 눈에 띄게 되고, 자연스럽게 다른 사람들의 멘토가 된다. 이런 인물들은 발이 넓은 데다 사람들의 마음을 움직이는 힘을 지니고 있기 때문에 인맥의 보고라 할 수 있다. 편안한 사람과 깊이 있게 사귀고 싶다면 나 스스로 편안한 사람이 되어야 한다. 그럴 경우 서로가 서로에게 멘토가 되어 훌륭한 버팀목 역할을 할 수 있다.

인간의 처세에 대해 다룬 《채근담》에는 이런 문구가 있다.

'생각이 너그럽고 깊은 사람은 봄바람이 따뜻하게 만물을 기르는 듯하니 무엇이든지 이런 사람을 만나면 살아난다. 마음이 모질고 각박한 사람은 차가운 눈이 만물을 얼게 하는 듯하니 무엇이든지 이런 사람을 만나면 죽느니라.'

대인관계의 기본은 상생이다. 힘들고 어려운 시절, 서로가 서로에게 버팀목이 되어줄 수 있다면 이보다 더 좋은 인맥이 어디 있으랴. 멘토를 찾아다니듯 편안한 사람을 찾아다니는 것도 나쁘지는 않다. 그러나 그보다 더 좋은 방법은 나 스스로가 편안한 사람이 되는 것이다. 내가 편안한 사람이 되면 은은한 향기가 천 리 밖까지 퍼져나가고, 그 향기를 맡고 향기로운 사람들이 제 발로 찾아온다.

만나기 전에
사전 정보를 습득하라

　　요즘 방송에서는 각종 토크쇼가 성행이다. 사회자와 고정 패널, 초대 손님으로 이루어진 이런 프로그램들이 시청자들의 사랑을 받는 비결은 쉴 새 없이 웃음과 감동이 펑펑 터져나오기 때문이다. 짧은 시간에 어떻게 이런 일이 가능할까?

　　물론 사회자와 고정 패널의 능력이 뛰어나기도 하지만 그 비결은 초대 손님에 대한 작가들의 철저한 사전 조사에 있다.

　　일단 사전 조사를 마치면 인터뷰를 해서 방송에 나갈 내용을 선별한다. 그런 다음 대본을 작성한다. 재미있는 내용은 더 재미있게 만들고, 감동스런 이야기는 더 감동스럽게 만든다. 대본이 완성되면 리허설을 거친 뒤 비로소 촬영에 들어간다. 촬영은 보통 방송 시간보다 몇 배 길다. 그 뒤 편집을 통해 삭제할 부분은 삭제하고 음향 효과와 음악, 자막 등을 넣는다.

만남도 방송처럼 준비할 필요가 있다. 물론 모든 만남을 일일이 준비하며 살 수는 없다. 친구들과의 가벼운 만남은 가볍게 나가서 만나면 된다. 그러나 비즈니스적인 만남이거나 중요한 사람과의 만남이라면 사전 준비가 필요하다. 특히 첫 만남일 경우라면 반드시 사전 조사를 해야 한다.

대인관계란 마음의 문을 열고 소통하는 일이다. 상대에 대한 정보를 미리 습득해놓으면 왠지 알고 지내온 사람 같은 기분이 든다. 긴장도 덜 되고 경계심도 사라져서, 내 마음의 문을 먼저 열어놓은 상태에서 차분히 대화를 풀어나갈 수 있다.

모든 만남에는 크고 작은 목적이 있게 마련이다. 그러나 목적에만 집중하다 보면 더 중요한 것을 놓치기 쉽다. 바다낚시를 가서 오로지 물고기 잡는 데에만 전념한다면 어리석은 사람이다. 바다낚시를 갔으면 아름다운 풍광, 시원한 바닷바람, 짜릿한 손맛, 즉석에서 먹는 자연산 회 맛 등을 만끽할 줄 알아야 제대로 바다낚시를 즐겼다고 할 수 있다.

만남도 크게 다르지 않다. 만남이라는 넓은 틀 안에서 목적을 이룰 방법을 찾아야지, 목적을 통해서 만남을 이어가려 한다면 그 관계는 오래 지속될 수 없다. 만남을 통해 마음의 문이 열리고 두터운 정을 쌓게 되면, 목적은 자연스럽게 이루어진다.

대인관리에서 정보는 생명이다. 중요한 만남이 있다면 인터넷을 검색하거나 페이스북이나 트위터 같은 SNS를 통해 기본 정보를 모아라. 그런 다음 인맥을 동원하여 좀 더 구체적인 정보를 수집하라.

중요한 인물은 인맥 사전을 만들어놓는 것이 좋다. 뇌는 나에게 유리한 것만 기억하기 때문에 훌륭한 저장 창고라고는 볼 수 없다. 인맥 사전은 이동이 용이하도록 낱장을 엮어서 만드는 것이 좋다. 그래야 필요에 따라서 분류하기도 쉽고, 세월이 흘러서 다시 정리해야 할 때도 편리하다.

인맥 사전에는 나이, 직책, 정치적 취향, 종교, 고향, 업종 동향, 가족관계, 사는 곳, 전공 분야, 성격, 취미, 최근 관심 분야, 친한 사람, 나와의 만남 등등으로 소제목을 붙인 뒤 한눈에 파악하기 쉽게끔 간략하고 정확하게 기재하라. 상대에 대한 정보가 정확하면 정확할수록 만날 장소와 시간을 정하기가 한결 쉽다. 그런 다음 약속 장소로 가면 발걸음도 한결 가볍다.

첫 만남에서 중요한 것은 나의 이미지다. 내가 상대를 관찰하듯이 상대도 나를 관찰하게 마련이다. 사전 정보가 부족하면 말을 극도로 조심할 수밖에 없다. 자칫 딱딱한 분위기를 바꿔보겠다고 말 한마디 잘못했다가는, '말이 입힌 상처는 칼이 입힌 상처보다 깊다'는 모로코 속담처럼 최악의 경우가 발생할 수도 있다.

말을 많이 한다는 것과 잘한다는 것은 별개의 문제다. 말을 잘하려면 상대의 마음을 움직여야 한다. 사전 정보가 풍부하면 어디서부터 접근해서 어떻게 상대를 설득시킬 것인지에 대한 전략을 세울 수 있다.

비즈니스도 그렇지만 대인관계 역시 신뢰 위에서 싹튼다. 충분한 사전 정보는 나에 대한 신뢰감을 심어줄 수 있다. 파스퇴르는 "행운은 마음의 준비가 되어 있는 사람에게만 미소 짓는다"고 하였다. 대인관계를 잘하고 싶다면 다소 번거롭더라도 사전 준비를 해야 한다. 사실, 사적인 자리에서 비즈니스를 한다고 해도, 대개 비즈니스에 관한 대화는 함께하는 시간의 30퍼센트를 넘어서지 않는다. 나머지 시간은 비즈니스 외적인 이야기이기 때문에 이 그 시간을 슬기롭게 보내는 자가 비즈니스에서 승리하게 되어 있다.

아무 준비 없이 나와서 상대의 이야기만 경청하는 것도 예의가 아니다. 손뼉도 부딪쳐야 소리가 나듯이 좋은 만남은 좋은 상대가 있어야 가능하다. 좋은 대화 역시 마찬가지다. 사전 준비는 대인관계를 잘하는 비결이기도 하지만 상대에 대한 기본적인 예의이기도 하다.

물고기도 되고,
새도 되어라

　　　　물은 잔의 생김새를 가리지 않는다. 둥근 잔에 들어가면 둥그렇게 잔을 채우고, 네모 모양의 잔에 들어가면 네모 모양대로 잔을 채우고, 찌그러진 잔에 들어가면 찌그러진 모양대로 잔을 채운다.

　인간의 품성도 이와 흡사하다. 마치 아이가 진흙으로 물고기도 만들고 새도 만들듯이, 마음먹기에 따라 자유자재로 변할 수 있다. 대인관계를 하다 보면 리더가 되고 싶어 하는 사람도 있고, 친구가 되고 싶어 하는 사람도 있고, 스스로 몸을 낮춰서 상대에게 기대고 싶어 하는 사람도 있다. 대인관계를 잘하고 싶다면 마치 잔 속에 들어가는 물처럼 그들이 원하는 대로 맞춰주면 된다. 얼핏 들으면 어려워 보이지만 나의 중심만 확실하다면 그리 어렵지 않다.

　직장에서는 직위가 있으니 직위에 맞게 행동하면 된다. 부장이 대리처럼 행동해서는 안 되고, 대리가 부장처럼 행동해서도 안 된다. 부장과 대리가 해야 할 말과 행동이 각각 다르기 때문이다.

그러나 사적인 자리에서까지 직위대로 행동할 필요는 없다. 직위대로 행동하기를 바라는 사람도 있지만 그렇지 않은 사람도 많다. 형제처럼 의좋게 지내기를 바라는 사람도 있고, 친구처럼 허물없이 지내기를 바라는 사람도 있고, 오히려 은연중에 기대고 싶어 하는 사람도 있기 때문이다. 기본적인 예의를 잃지 않고 성향에 맞춰준다면 오히려 돈독한 인간관계를 유지할 수 있다.

인간이 인맥을 넓히려는 것은 일종의 생존 본능이다. 혼자서 생활하는 것보다는 무리를 지어 생활하는 편이 생존에 훨씬 유리하기 때문이다. 그러나 무작정 인맥만 넓혀나가다 보면 어느 한순간, 극심한 외로움을 느낀다. 아는 사람은 많은데 외로울 때 대화를 나눌 만한 지인이 없기 때문이다.

인맥을 넓히는 것도 중요하지만 몇 사람을 선택해서 그들과 두터운 정을 쌓을 필요가 있다. 기존의 친분관계로는 소통하는 데 한계가 있다. 상대의 성향에 맞춰줄 수 있는 유연성이 필요하다. 형제 없이 외롭게 자란 사람에게는 형제가 되어주고, 괴팍한 성격 때문에 친구가 없는 사람에게는 친구가 되어주고, 강한 척하지만 내면은 유약해서 기대고 싶어 하는 사람에게는 기꺼이 가슴을 내어줄 수 있어야 한다.

가정에서도 마찬가지다. 결혼 초창기에 부부싸움을 많이 하는 이유는 서로의 성향을 제대로 파악하지 못했기 때문이다. 상대에 대한 배려보다는 내 취향만 고집하다 보니 사사건건 부딪힐 수밖에 없다. 결혼 10년 차쯤 되면 수많은 경험이 축적되어서, 자연스럽게 상대의 성향을 파악하게 된다. 그때부터는 싸우는 횟수도 한결 줄어들고, 눈빛만 봐도 상대가 뭘 원하는지 알기 때문에 부부간의 정도 돈독해진다.

아내가 남편에게 기대는 성향이라면 아내 의견을 존중한답시고 "당신 뜻대로 해!"라고 말해서는 안 된다. 아내가 듣고 싶어 하는 것은 '내 생각'이기 때문에 정확히 말해줘야만, '이 사람이 과연 날 사랑하는 건가?' 하는 의심으로부터 벗어날 수 있다. 또한 아내가 친구와 다투고 왔는데 이성적으로 판단한답시고 잘잘못을 가려서 친구 편을 든다면 아내는 서러움의 눈물을 흘리게 된다. 이럴 때는 무조건 아내 편을 들어줘야 한다.

행복한 가정생활의 비결은 아내의 성향을 정확히 파악하는 데서부터 출발한다. 기대고 싶어 한다면 고향의 느티나무처럼 든든한 버팀목이 되어주고, 독립 성향이 강하다면 아내의 말과 행동을 존중해주고, 리더십이 강한 여장부 스타일이라면 경청해주고 자주 칭찬해주면 된다.

친구관계에서도 마찬가지다. 자립심이 부족해서 기대고 싶어 하는 친구도 있고, 주관이 뚜렷해서 사리분별이 명확한 친구도 있고, 리더십이 강해서 무슨 일이든 앞장서기를 좋아하는 친구도 있다. 그들의 성향대로 대해주면 좀 더 깊은 우정을 나눌 수 있다.

인도의 철학자 오쇼 라즈니쉬는 "누군가와 공감할 때, 사람과 사람 사이의 관계는 깊어져간다"고 하였다. 라디오를 듣기 위해서는 주파수를 맞춰야 하듯, 공감하기 위해서는 상대의 성향에 맞출 줄 알아야 한다.

물고기도 되고, 새도 되는 지혜가 필요하다. 나는 물고기니까 새와의 소통을 거부하고, 나는 새니까 물고기와의 소통을 거부한다면 소중한 인맥을 놓칠 수밖에 없다.

Chapter 3
·
유능한
직장인이
되는 비결

네 가지 목표를
설정하라

　　인생은 목표한 대로 흘러가지 않는다. 인생에는
수많은 변수가 존재하기 때문에 종종 전혀 예상하지 못했던 상황에
놓이기도 한다. 그렇다고 해서 아무런 목표 없이 인생을 살아가는
것은 어리석은 짓이다. 목표 없는 인생은 바다 한가운데서 노를 잃
어버린 돛단배와 같다. 인생의 비극은 목표를 이루지 못했을 때 찾
아오는 것이 아니라, 인생의 목표를 잃어버렸을 때 찾아온다.

　목표가 없으면 자유롭지만 반면 정신적으로든 육체적으로든 느
슨해질 수밖에 없다. 목표의 중요성을 모르는 직장인은 많지 않다.
그러나 목표 없는 직장인은 상당히 많다. 관성적으로 아침에 출근
했다가 해가 지면 퇴근한다. 인생의 목표가 없다 보니 스스로를 '돈
의 노예'라고 비하하고, 다람쥐 쳇바퀴 돌듯 끝없이 반복되는 일상
의 수레 속에서 벗어나는 상상을 한다. 그 과정에서 현실과 이상 사

이에 놓인 벽의 실체를 확인하고 낙담하다가 자포자기 상태에 놓이게 된다. 이렇게 직장생활을 몇 년 하다 보면 스트레스에 대한 면역력도 떨어지고 무질서한 생활로 인해 건강도 나빠진다.

학창 시절의 꿈(목표)을 사회에 나와서까지 꾸는 사람은 많지 않다. 대다수가 원래 꾸었던 꿈과는 상관없는 일을 하며 살아간다. 그러나 꿈이 없는 인생은 더더욱 곤란하다. 인간은 꿈을 꿀 때 행복을 느끼는 존재다.

상황이 바뀌었다고 모든 꿈을 포기하지는 말라. 꿈은 인내력을 키워주고, 전략개발을 위한 창의력을 발동시켜서 사회적으로 성공할 확률을 높여준다. 또한 삶의 질과 품격을 높인다.

성과가 낮은 직장인은 가슴에 사직서를 품고 살고, 성과가 높은 직장인은 가슴에 꿈을 품고 산다. 유능한 직장인이 되고 싶다면 품 안의 사직서를 찢어버리고 꿈을 품어라. 지금부터라도 네 가지 목표를 설정하고 살아간다면 직장생활이 즐거워질 것이다.

하나, 가슴 깊은 곳에 새로운 꿈을 품어라.

우리는 인생의 여행자다. 꿈이란 일종의 나침반 같은 것으로, 우리가 어느 방향으로 가야 할지를 알려준다.

내가 살아 있는 동안 꼭 이루고 싶은 꿈을 찾아 가슴 깊숙한 곳에 간직하라. 직장을 다니면서 이룰 수 있는 '회사 사장' 같은 꿈도 좋고, 회사를 퇴직하고 난 뒤에야 이룰 수 있는 '성공한 사업가' 같은 꿈도 좋다. 다만, 막연하게 꿈꾸는 것은 아무 소용이 없다. 다른 것은 몰라도 이것만큼은 반드시 이루겠다는 각오가 있어야 한다.

꿈을 가슴에 품고 있는 것만으로도 직장생활이 훨씬 즐거워지고, 세상 살아가는 맛이 난다. 직장인에게 꿈이란 마음의 여유를 갖고서 바깥 전망을 즐길 수 있는 창 같은 것이다. 지치고 힘들 때, 이런저런 스트레스를 받을 때 잠시 창밖을 보면서 활력을 충전할 수도 있고, 꿀꿀한 기분을 전환시킬 수도 있다.

꿈이 있는 직장인은 업무를 대하는 태도부터 다르기 때문에 꿈이 없는 사람에 비해 당연히 성과가 높을 수밖에 없다. 또한 대인관계에도 각별히 신경 쓸 수밖에 없어서 신뢰할 수 있는 사람으로 서서히 바뀌어간다.

둘, 한 해 목표를 설정하라.

한 해 목표는 업무, 재무, 건강, 자기계발로 분야를 나누어 설정하는 게 좋다. 만약 봉사 활동에 관심이 있거나 매년 해왔다면 봉사 항목을 끼워놓아도 무방하다.

업무는 회사에서 한 해 동안 이루고 싶은 목표다. 승진과 관련된 것도 좋고 실적과 관련된 것도 좋은데, 최대한 구체적으로 정할 필요가 있다.

재무 분야는 비록 배우자가 맡고 있더라도 나만의 경제적 목표를 설정하라. 경제에 관심을 가져야만 경제를 공부하게 된다. 경제를 모르고서는 세상의 흐름을 읽을 수 없다. 직위가 올라갈수록 경제 분야에 능통해야 한다. 그렇기에 일찍부터 경제에 관심을 갖는 게 좋다.

건강은 나의 몸 상태를 정확히 파악한 뒤, 상태가 안 좋은 부분이 있으면 그 부분을 개선하는 쪽으로 계획을 짜라. 고혈압이나 고지혈증이 있다면 음주와 나트륨을 조절하고, 꾸준한 운동을 통해 체중을 조절해야 한다.

자기계발에는 1년 동안의 독서 계획, 취미 활동, 외국어 공부, 여행 일정 등등이 포함된다. 시간이라는 것은 자의 눈금처럼 일정하지 않다. 어떻게 활용하느냐에 따라 늘어나기도 하고 줄어들기도 한다. 아무리 바쁜 직장인일지라도 시간관리만 잘한다면 다양하게 자기계발을 할 수 있다.

한 해 목표를 설정해야 하는 이유는 꿈을 향해서 한 걸음 더 다가가기 위함이요, 인격적으로는 작년보다 한 걸음 더 성장하기 위함이다. 직장 초년생일 때는 미풍에도 흔들리는 여린 나무일지라도 매해 조금씩 자라다 보면 언젠가는 자신도 모르는 사이에 잎이 무성한 거목이 된다. 노년에 아무것도 이뤄놓은 게 없어 허탈해하거나 나잇살 먹고 나잇값도 못한다는 소리를 듣지 않으려면, 다소 귀

찮고 번거롭더라도 매해 한 걸음씩 꾸준히 앞으로 나아가야 한다.

셋, 월 목표를 설정하라.

월 목표는 한 해 목표처럼 나눠서 세워도 되고, 업무에 대해서만 세워도 무방하다. 매월 성과를 내야 하는 부서라면 당연히 목표를 세워야 하고, 성과를 내지 않아도 되는 부서 역시 월 목표를 세우는 게 좋다. 그래야 리더가 무엇을 원하는지 정확히 파악해 인사고과에서 좋은 점수를 얻을 수 있고, 우선순위를 정해서 일을 처리하는 습관이 붙고, 일에 대한 마감 시한을 스스로 정해서 자발적으로 업무에 집중할 수 있다.

넷, 일일 목표를 설정하라.

1년은 365조각으로 이루어진 한 개의 그림판이다. 하나하나 퍼즐을 맞춰서 큰 그림을 그려나간다는 기분으로 일일 목표를 설정하는 게 좋다. 일일 목표는 즉시 실천할 수 있어야 하므로 조금만 의식하면 충분히 실천할 수 있게끔 낮춰 잡는 게 좋다.

영업직이라면 하루에 악수 열 번 이상 하기, 구체적인 칭찬 세 번 이상 하기, 잠재적 고객을 포함해서 고객 다섯 명 이상에게 전화하기, 새로운 거래처 한 곳 이상 방문하기 등등의 목표도 괜찮다. 영업과 상관이 없다면 다섯 번 이상 소리 내서 웃기, 선행 세 가지 이상 하기, 두 번 이상 타인을 배려하기 등등의 목표도 일일 목표로는 훌륭하다.

독일의 철학자 게오르크 헤겔은 현대를 살아가는 직장인에게 "좀 더 높은 이상이 없었다면, 인류는 쉬지 않고 일만 하는 개미 떼와 무슨 차이가 있겠는가?" 하고 묻는다.

인간은 아주 오래전부터 미래를 예측하고 계획하며 살아왔다. 그 결과 다른 동물에 비해서 전두엽이 발달하였고, 생존 경쟁에서 오늘날까지 살아남아 풍요로운 삶을 누리게 되었다. 치밀하게 계획하고 꿈꾼다면 반드시 이루어진다. 유능한 직장인으로 살고 싶다면 당장 네 가지 목표부터 설정하라!

나의 가치를
높여라

인간은 경제적 동물이다 보니 가치 매기기를 좋아한다. 이는 물물교환이 성행하던 시절부터 쭉 이어져온 습성이다. 그러나 물건의 가치는 일정하지도, 정확하지도 않다. 파는 사람의 수완 혹은 희소성에 따라 가치는 오르기도 하고 내리기도 한다.

경제학 용어 중 '자원의 희소성'이라는 것이 있다. 이것은 인간의 욕구나 필요에 비해 자원이 상대적으로 부족할 때 나타나는 현상을 말한다. 희소성이 있는 것은 가치가 높다. 인간에게는 과시하고 싶은 욕망이 있기 때문이다. 자본주의의 발달로 '물건'과 '나'를 동일시하는 사람들이 늘어나면서 '명품족'이라는 새로운 소비 귀족마저 생겼다. 그러다 보니 오히려 가격이 비싸야만 팔리는 기이한 현상마저 빚어지고 있다.

물건의 가치를 측정해서 일정하게 가격을 매기기가 어려운 세상이다. 같은 작가의 작품이라도 스토리가 입혀지면 가격이 몇 배로 뛰기도 한다. 특히 골동품의 경우는 더욱 그러하다. 골동품은 오랜 세월을 거치다 보니 종종 쓰레기로 버려지기도 하는데, 쓰레기 더미에서 건진 골동품이 몇 사람의 손을 거치면 보화가 된다.

실제로 뉴욕 맨해튼 골목의 쓰레기 더미에서 한 여인이 그림을 주웠다. 그녀는 미술 서적과 인터넷을 뒤져 그 그림이 멕시코의 대표화가 루피노 타마요의 1970년도 작품 '명사 3인'임을 알아냈다. 이 그림은 1977년에 한 소장가가 아내의 생일 선물로 주기 위해서 5만 5천 달러를 주고 구매했으나 1989년에 도난당한 그림이었다. 쓰레기 더미에 파묻혀 있던 그림은 주인에게 되돌아갔고, 2007년 뉴욕의 소더비 경매에서 104만 9천 달러에 팔렸다. 그림을 주운 여인은 1만 5천 달러의 사례금과 함께 경매가의 일부를 할당받는 행운을 누렸다.

골동품에만 가치를 측정하고 가격을 정하는 건 아니다. 요즘에는 직장인들도 인사고과를 통해서 업무 능력 및 가치를 측정하고, 연봉 협상을 통해 몸값을 결정한다.

사회적으로 성공한 사람들은 대체적으로 몸값이 높다. 회사 임원이 되면 높은 연봉과 함께 다양한 특혜를 누린다. 유명인사들은 한 번의 강연료로 적지 않은 돈을 챙긴다. 그들에게 많은 돈을 지불하는 이유는 그만큼 그들의 가치가 높기 때문이다.

그렇다면 나의 가치는 과연 얼마나 될까? 만약 경매에 붙여서 연봉을 정한다면 과연 얼마나 받을 수 있을까?

스스로 경매인이 되어서 나를 경매에 붙인다고 가정한 뒤 판매

전략을 세워보라. 물론 경매에 참여하는 사람은 기업의 CEO들이다. 나의 가치를 높이려면 무엇을 해야 할까?

일반적으로 경매에서 높은 가격을 받으려면 희소성이 있어야 하고, 참신해야 하고, 흥미로운 스토리가 덧붙어야 한다. 나의 가치를 높이는 일도 크게 다르지 않다.

첫째, 장점을 부각시켜야 한다.

슈퍼마켓에 물건을 진열하듯 여러 장점을 늘어놓기보다는 한 가지 내지는 두세 가지 정도 추려서, 집중적으로 강조하는 편이 효과적이다. 기업은 새로운 전문가를 원한다. 세상은 빠르게 변화하고 있기 때문에 신지식으로 무장한 경험자를 우대한다.

둘째, 참신성을 강조해야 한다.

세상에는 워낙 많은 사람이 살아가다 보니 나와 비슷한 능력을

지닌 이도 지천이다. 경쟁자와의 차별성을 강조할 필요가 있는데 어떻게 어필하는 게 좋을까? 찾아보면 다양한 방법이 있겠지만 내가 권하고 싶은 것은 직업과의 연계성이다. 직업이란 한 번 정하면 오랜 세월 동안 그 일을 해야 한다. 만약 직업이 나의 인생관과 어긋난다면 인생 자체가 불행해진다. 둘의 합일점을 찾아서 경쟁자와의 차별성을 어필한다면 좋은 평가를 받을 수 있다.

셋째, 흥미로운 스토리를 입혀야 한다.

인생은 체험이다. 가상현실이 발달한다 해도 실제 체험만큼 나와 타인에게 강렬한 영감을 주기란 쉽지 않다. 살아오면서 겪었던 가장 인상적인 이야기를 직업 내지는 인생관과 결합시킨다면 깊은 인상을 심어줄 수 있다. 즉, 훌륭한 스토리는 물건이나 인간에 대한 가치를 높여주게 마련이다.

이 밖에도 높은 신용도를 어필하거나, 정직하고 신뢰할 만한 사람이라는 믿음을 줄 수 있다면 나의 가치는 올라간다.

직장인 중에는 매해 꾸준히 자신의 가치를 높여나가는 사람이 있는가 하면, 입사했을 때와 별반 차이가 없거나 오히려 가치가 떨어지는 사람도 있다. 자기계발을 게을리한 경우인데, 이런 사람은 세월이 지나면서 장강의 뒷물이 앞물을 밀어내듯이 자연스럽게 밀려난다.

호주 태생의 베스트셀러 작가 앤드류 매튜스는 "나 자신의 가치를 전적으로 믿으라"며 또 이렇게 충고한다.

"우리는 자신의 가치를 스스로 인정해야 한다. 다른 사람들이 우리의 가치를 인정해줄 것으로 믿었다가 그 기대가 어긋나면 실망할 수밖에 없다."

한 해가 오고 가는 길목에 서서 한 번쯤은 뒤돌아볼 필요가 있다. 나의 가치는 지난해보다 높아졌는지, 나의 인생은 지난해보다 좀 더 풍요로워졌는지…….

가치와 인생은 둘이 아니다. 시소처럼 각자 양편에 놓이는 것이 아니라 같은 자리에 함께 놓인다. 나의 가치가 높아지면 인생 또한 풍요로워지고, 가치가 떨어지면 인생도 빈곤해진다. 인생을 제대로 살고 싶다면 나의 가치를 매해 높여나가야 한다.

일을
장악하라

상사가 되면 부하 직원을 관찰하게 된다. 타인의
사생활을 엿보는 악취미가 있어서라기보다는 겹치는 업무가 적지
않다 보니 의식적이든 무의식적이든 간에 관찰할 수밖에 없다. 특
히 나처럼 사람을 좋아하고, 사람 그 자체에 관심을 갖고 있는 유형
이라면 약간의 주의만 기울여도 세세한 부분까지 알 수 있다. 장단
점이 무엇인지, 업무 처리 방식은 어떤지, 사생활은 어떤지, 감추고
싶어 하는 콤플렉스가 무엇인지 등등이 파악된다.

그중 내가 유심히 보는 것은 업무 처리 방식이다. 사람마다 그
방식이 천차만별이다. 여유 시간은 엉뚱한 데다 허비해버리고 마
감 시한이 임박해져서야 눈에 불을 켜고 일을 하는 사람도 있고, 중
요하지 않은 일을 붙잡고 아까운 시간을 허비하는 사람도 있고, 당
장 눈앞에 보이는 일만 처리하는 사람도 있고, 자신의 성과와 관련

된 일만 뽑아서 처리하려는 사람도 있고, 성사 가능성이 낮은 프로젝트만 줄기차게 물고 늘어지는 사람도 있고, 상사가 시키는 업무만 처리하는 사람도 있고, 자신의 일을 부하 직원에게 떠넘기다시피 하는 사람도 있다.

업무를 효율적으로 처리하려면 어느 정도 경험도 쌓여야 하고, 업무를 처리하는 과정에서 자신의 특성을 깨달아야 하며, 일과 직장에 대한 나름의 철학이 있어야 한다. 다행히 유능한 상사를 만나면 업무 처리 과정에 대해서 전반적인 재교육을 받지만 과정보다도 결과를 중시하거나 자신의 일 처리에 급급한 상사를 만나면 본의 아니게 워커홀릭이 되고 만다.

일을 잘해서 성과를 내고 싶다면 결코 일에 휘둘려서는 안 된다. 무작정 시간과 열정을 투자한다고 해서 해결될 문제가 아니다. 일을 잘하기 위해서는 일의 머리끝부터 발끝까지 완벽하게 장악해야 한다. 오케스트라 단원들과 함께 호흡하며 훌륭한 소리를 창조해내는 지휘자처럼 일을 내 맘대로 능수능란하게 다룰 줄 알아야 유능한 인재라는 소리도 듣고, 성과도 높일 수 있다.

일을 장악하기 위해, 먼저 일을 네 가지로 분류할 필요가 있다.

- 시간이 촉박한 일
- 잘할 수 있는 일
- 해야만 하는 일
- 좋아하는 일

시간이 촉박한 일은 대개 네 종류이다. 상사로부터 내려온 일, 동료로부터 부탁받은 일, 사고가 생겨 서둘러 수습해야 하는 일, 마감 기한이 임박한 일 등이다. 일단 발등의 불부터 꺼야 하므로 시간이 촉박한 일부터 처리할 수밖에 없다. 상사로부터 내려온 경우라면 어쩔 수 없지만 그 외의 일들은 가급적 만들지 않는 게 좋다.

정상적으로 업무를 볼 때는 업무 시간을 분배하라. 업무의 양과 중요도에 따라서 달라질 수밖에 없지만 양과 중요도가 같다는 전제하에 '6 : 2 : 2' 정도로 분배하는 게 좋다. 즉, '잘할 수 있는 일'에 업무 시간의 6할을 분배하고, '해야만 하는 일'과 '좋아하는 일'에 각각 2할을 분배하라는 뜻이다.

잘할 수 있는 일에 6할을 분배하는 까닭은 시간과 역량을 집중 투자해서, 누가 보더라도 빛이 나도록 일을 해내기 위함이다. 세상은 평범한 사람보다는 비범한 사람을 원한다. 기업도 아마추어보다는 전문가를 원한다. 이 분야만큼은 부서 내 누구보다도, 더 나아가 회사 내 누구보다도 전문가임을 상사에게 각인시킬 필요가 있다. 한 가지 일을 특출나게 잘하면 후광효과로 인하여 유능한 인재라는 평가를 받을뿐더러, 인사고과에서 유리한 고지를 점령할 수 있다.

'해야만 하는 일'은 대개 스트레스 강도가 높다. 적성에 맞지 않아서 하고 싶지 않거나, 열심히 해도 일한 티가 나지 않는 유형의 업무이다. 이런 일은 질질 끌면 끌수록 하기도 싫을 뿐만 아니라 끝내고 나서도 자칫하면 욕을 얻어먹기 십상이다. 그렇다고 안 할 수는 없기 때문에 업무 시간의 2할 정도는 투자해야 한다.

이런 일은 너무 잘하려고 하기보다는 중간만 하겠다는 생각으로 시작하는 게 좋다. 혼자서 끙끙대지 말고 선례가 있다면 먼저 찾아본 뒤 어느 정도 선에서 끝내겠다는 기준치를 정하라. 그런 다음 전문가나 회사 내에서 가장 잘하는 사람을 찾아가 업무 전반에 대한 조언을 구한 뒤, 일을 가급적 빨리 처리하는 게 정신 건강에도 좋다.

마지막으로 '좋아하는 일'은 2할 이상의 시간을 투자하지 않도록 시간 배분에 신경 써야 한다. 일을 하다 보면 시간이 금세 흘러가기 때문에 일정한 시간을 미리 정해놓지 않으면 업무 시간 대부분을 사용하게 된다. '잘하는 일'과 '좋아하는 일'은 엄연히 다르다. 회사는 일을 좋아하는 사원보다는 일을 잘하는 사원을 원한다. 성과를 내고 수익을 창출해야 회사가 생존할 수 있기 때문이다.

업무 시간을 분배했으면 업무를 효율적으로 배치할 필요가 있다. '잘할 수 있는 일'은 집중력이 높고 업무 환경도 좋은 오전 시간에 배치하는 게 좋다. '해야만 하는 일'은 점심을 먹고 난 뒤부터 시작하는 게 좋고, '좋아하는 일'은 시간이 쏜살같이 흘러가기 때문에 오후 업무 중간부터 시작해서 퇴근 시간까지 배치해놓는 게 좋다. 재미있게 일하다 퇴근하면 마음이 가벼워져서, 회사생활 자체가 즐겁게 느껴진다.

만약 자의든 타의든 간에 회사를 그만두고 새로운 일을 시작하게 된다면 '잘할 수 있는 일'과 '좋아하는 일' 사이에서 접점을 찾는 게 바람직하다. 잘할 수 있는 일을 선택하면 성공 가능성이 높지만 행복은 줄어들고, 좋아하는 일을 선택하면 성공 가능성은 낮아지지만 행복은 늘어난다. 후회 없는 인생을 살고 싶다면 어느 것 하나를 선택하는 것보다는 가급적 두 가지 모두를 취하는 게 좋다.

스페인의 작가 벨타사르 그라시안이모랄레스는 "쉬운 일은 어려운 듯이, 어려운 일은 쉬운 듯이 하라"고 조언했다. 일에도 전략이 필요하다. 무작정 덤벼들지 말고 전략을 세워서 일을 장악하라. 일을 장악하면 업무에 대한 만족도나 성취감이 높아진다. 또한 직장생활이 즐거워지고, 다른 모든 일도 술술 풀릴 것 같은 기분 좋은 예감이 든다.

적당주의를
경계하라

직장생활은 비슷한 일의 연속이다. 오래 하다 보면 긴장감이 떨어지면서 경계심이 점차 둔화되고, 현실에 안주하게 되어 적당주의에 빠지기 쉽다.

받은 만큼 일하는 건데 '적당히 일하는 게 뭐가 나쁘냐?'고 반문할 수도 있다. 그러나 엄밀하게 따져보면 적당히 일하는 건 받은 만큼 일하는 게 아니다. 적당히 일하는 사람에게 봉급을 주고 싶어 하는 고용주는 어디에도 없다.

적당주의는 겉보기에는 아무 문제 없어 보인다. 모든 일이 원활하고 무난하게 돌아간다고 착각하기 쉽다. 그러나 평온해 보이는 일상 속에는 겉으로 드러나지 않은 위험이 내재되어 있다.

'세상에 완벽한 게 어디 있어? 이 정도 불량쯤은 괜찮아!'

'설마 이 정도 갖고 클레임까지 걸겠어?'

'예산이 애초 기획안보다 많이 들어가네? 에이, 결재 서류까지 떨어졌는데 모르는 척하자.'

한 사람의 사소한 방심은 또 다른 방심을 낳는다.

'전임자는 왜 이 문제를 보고하지 않았을까? 그래, 나도 덮어두자. 괜히 긁어 부스럼을 만들 필요 없어.'

'큰 손실도 아닌데 덮어두지, 뭐. 업무 비용으로 메꾸면 되겠네!'

'사소한 부상이니까 보고하지 말고 넘어가자. 좋은 게 좋은 거 아니겠어?'

보험 회사에서 보험감독관으로 산업재해 관련 업무를 맡았던 허버트 윌리엄 하인리히는 수많은 산업재해 사례를 분석해 통계를 냈다. 그 결과, 산업재해로 1명의 중상자가 발생했다면 그와 같은 원인으로 경상자가 29명, 사고가 날 뻔했던 잠재적 부상자가 300명이 발생한다는 것이다. '하인리히 법칙'이라는 이런 현상은 한 사람의 적당주의가 조직 내에서 또 다른 적당주의를 낳기 때문에 일어난다.

이제 적당주의를 버려야 한다. 그러기 위해 직장에 대한 생각부터 바꿔야 한다. 직장은 보수를 받고 일하는 곳이요, 사회 활동을 하는 곳이요, 자기 수련을 하는 곳이요, 끊임없이 배워서 능력을 발휘하는 곳이다. 그런데 많은 사람이 '거꾸로 매달아도 국방부 시계는 돌아간다'며 전역할 날만을 기다리는 군인처럼 하루하루를 버티려 한다.

"당장 때려치우고 싶지만 경력을 쌓기 위해서 버틴다!"

"더럽고 치사해도 사업 자금을 모아 독립할 때까지만 버틴다!"

"당장 사표 쓰고 싶지만 다른 직장을 구할 때까지만 버틴다!"

버티는 이유도 각양각색이다. 사실, 직장이라는 게 일주일을 버티고, 한 달을 버티고, 1년을 버티다 보면 세월이 가는지도 모르게 흘러간다. 그러나 이렇게 적당히 일하면서 보낸 세월은 회사에는 물론이고 나에게도 아무런 보탬이 되지 않는다. 이런 마인드로 버틸 바에는 차라리 그만두는 게 낫다.

적당주의는 '손님 정신'이다. 직장 안에서 무슨 일이 일어나도 책임을 지려 하지 않기 때문에 문제점을 발견해도 수수방관한다. 결국 적당주의는 조직을 균열시키고, 그 균열들이 차곡차곡 쌓여 회사라는 단단한 댐을 한순간에 허물어뜨린다.

직장을 일주일 뒤든, 한 달 뒤든, 1년 뒤든 간에 그만두는 건 상관없다. 그러나 직장에서 보수를 받으며 일하는 동안에는 그 액수에 상관없이 주인 정신으로 무장하고서 일해야 한다. 국가나 대륙 간의 장벽이 허물어지고 세계가 하나가 되면서 기업 간의 경쟁이 점점 치열해지고 있다. '내 회사'이고 '내 일'이라는 프로 정신을 갖고 전 직원이 달려들어도 기업의 앞날을 예측하기 어려운 세상이다. 그런데 그 순간만 모면하고 보겠다는 적당주의라니, 나도 회사도 파멸로 가는 지름길이다.

한국에서 일어난 대형 재난 사고에는 천재보다 인재가 많다. 성수대교나 삼풍백화점 붕괴 사고는 물론이고 전 국민의 가슴을 아프게 했던 세월호 침몰 사고도 적당주의가 낳은 산물이다. 하인리히 법칙에서 보듯이 불행은 단번에 찾아오지 않는다. 미리 수없이 경고를 보내고 또 보낸다. 그런데 적당주의에 물들어 있으면 경고를 무시하고, 기본 상식인 보고조차도 하지 않고 자신의 선에서 덮어 버린다.

1995년에 평가한 코닥의 기업 가치는 무려 133억 달러였다. 코카콜라, 맥도날드, IBM에 이어 세계 4위의 기업으로 평가받았던 132년 전통의 코닥이 파산한 것도 적당주의 때문이다. 적당주의에 젖어 세계가 변화하고 있다는 사실을 눈치채지 못하고 자기 합리화를 하면서 애써 무시했다. 지금까지 잘해왔으니 앞으로도 잘될 거라고 낙관하다가 끝내는 돌이킬 수 없는 결과를 초래했다.

기업이 생존하기 위해서는 임직원이 위기감을 갖고, 의식 개혁을 하고, 체질 개선을 통해 일류 기업으로 거듭나야만 한다. 그러기 위해서는 CEO를 비롯한 임직원 모두가 적당주의를 경계하고, 철

두철미한 주인 정신으로 무장해야 한다.

주인 정신은 방관이나 침묵이 아닌, 적극적인 참여에 의해 싹튼다. 회의에 참석하여 의견을 발표하고, 프로젝트에 어떤 식으로든 힘을 보태고, 능동적으로 달라붙어 일을 추진할 때 주인 정신이 몸 안으로 스며든다.

미국의 저명한 목사이자 《긍정의 힘》의 저자인 조엘 오스틴은 이렇게 말했다.

"인생은 될 대로 되는 것이 아니라 생각대로 되는 것이다. 자신이 어떤 마음을 먹느냐에 따라 모든 것이 결정된다. 사람은 생각하는 대로 산다. 생각하지 않고 살아가면 살아가는 대로 생각하게 된다."

적당히 살면서 내 인생의 방관자가 될지, 철저히 살아가면서 인생의 주인공이 될지는 스스로 선택해야 한다. 그러나 인생 선배로서 충고하건대 한 번뿐인 인생, 헛되이 허비하지 마라!

키 타임이
인생을 결정한다

　　인생은 사소한 것들로 이루어져 있다. 인간이 지닌 능력이 비슷하다면 사소한 것이 큰 차이를 만든다. 스포츠 경기에서도 마찬가지다. 두 사람의 실력이 비등하다면 누가 초반에 기선을 제압하느냐에 따라 승패가 갈린다.

　　세계적 베스트셀러 작가이자 경영 컨설턴트인 세스 고딘은 "작은 것이 위대한 제국을 건설한다"고 했다. 로마가 하루아침에 이루어지지 않았듯이 인생도 하루아침에 결정되지 않는다. 작은 승리가 모여서 좋은 하루를 만들고, 그렇게 흘려보낸 하루하루가 퍼즐 조각처럼 모여 위대한 인생을 만든다. '천 리 길도 한 걸음부터'라는 말처럼 위인들의 위대한 삶도 작은 승리에서부터 시작되었다.

　　인간에게는 누구나 하루 24시간이 주어진다. 분으로는 1,440분, 초로는 86,400초가 나에게 주어진 하루다. 단순히 계산해보면 길이도 일정하고, 가치도 일정해 보인다. 그러나 개개인의 시간은 상대적이다. 사용하는 사람에 따라 길이도 달라지고 가치도 달라진다. 따라서 인생을 잘 산다는 것은 그 시간들을 얼마나 가치 있게 사용하느냐에 달려 있다.

매일 내게 주어지는 1,440분을 가치 있게 사용한다면 더할 나위 없겠지만 사실상 그것은 불가능하다. 인간의 뇌는 호기심이 왕성하고 유혹에 약하다. 흥미로운 것이 나타나면 그전에 내가 뭘 하고 있었는지조차 잊어버리고 그것에 빠져든다. '마음 가는 대로' 산다는 건 멋있는 말이기는 하지만 순간순간을 그렇게 산다면 폐인이 되기 십상이다.

화력도 병력도 비슷하다면 전쟁의 승패는 지략가의 전략에 달려 있다. 성공적인 인생을 살고 싶다면 시간을 전략적으로 사용할 필요가 있다. 나에게 주어진 하루 24시간 중에는 곳곳에 향후 시간의 방향을 결정짓는 '키 타임(Key Time)'이 숨어 있다. 예를 든다면 아침에 눈을 뜨고 나서의 10분, 사무실에 출근해서의 10분, 점심을 먹고 나서의 10분, 퇴근하고 나서의 10분, 잠들기 전의 10분이 중요한 '키 타임'이라고 할 수 있다.

아침에 눈을 떴을 때 10분은 참으로 중요하다. 그 시간을 어떻게 보내느냐에 따라 인생이 달라진다. 계획한 시간에 눈을 뜬 뒤, 계획대로 10분을 보내는 사람은 그렇지 않은 사람보다 성공적인 인생을 살 가능성이 높다.

중·고등학교 시절의 방학을 회상해보라. 학습 계획을 세워놓고 다음 날 눈을 떴을 때, 계획한 시간에 일어났다면 그날 하루는 계획

대로 공부하며 알차게 보낸다. 그러나 해가 중천에 걸렸을 때 눈을
떴다면 '망했다!'라는 생각에 사로잡히고, 자포자기해서 나머지 시
간마저 헛되이 보내고 만다. 키 타임을 놓쳤기 때문에 일어나는 현
상이다.

사무실 출근 직후의 10분은 업무의 질과 밀접한 관계가 있다. 업
무 노트를 펴서 10분 동안 그날 해야 할 일을 검토한 뒤 하루를 시
작하는 사람은 대체적으로 업무의 질이 높다. 중·단기 목표가 머
릿속에 제대로 박혀 있기 때문에 시간을 집약해서 거침없이 일을
추진해간다. 반면 잡담이나 인터넷 서핑으로 10분을 보내는 사람
은 대개 업무의 질이 낮다. 머릿속에 목표가 없기 때문에 습관적으
로 다시 잡담을 하거나 인터넷 서핑을 하면서 오전 시간을 보내버
린다.

점심을 먹은 뒤 다시 사무실로 돌아오고 나서의 10분도 중요한 키 타임이다. 점심을 먹고 나면 식곤증 때문에 집중력이 현저히 떨어진다. 스스로 업무에 집중하겠다는 의지가 없다면 한두 시간쯤은 흐지부지 사라진다. 10분만 의지를 발휘해서 정신을 가다듬으면 나머지 시간을 알차게 보낼 수 있다.

퇴근하고 나서의 10분 역시 중요한 키 타임이다. 하루 업무를 끝내고 사무실을 나서면 보상 심리가 작동한다. 열심히 살았으니까 놀고 싶은 유혹이 밀려온다. 가끔씩 못 이기는 척 유혹에 빠져주는 것도 나쁘지 않다. 그러나 매일 그렇게 놀아서는 곤란하다. 열심히 운동해서 흠뻑 땀을 흘리고 난 뒤 양껏 먹어버리면 다이어트에 성공할 수 없다. 이와 같은 맥락으로, 성공적인 인생을 살고 싶다면 퇴근 후의 시간을 알차게 보내야 한다.

마음의 준비 없이 저녁 시간을 사용하기보다는 10분 동안 마음의 준비를 하는 게 좋다. 인맥관리를 하든, 인문학적 지식을 쌓든, 외국어를 공부하든, 휴식을 취하든, 가족과 시간을 보내든 간에 10분 동안 저녁 시간을 어떻게 보낼 것인지에 대한 전체적인 윤곽을 잡아놓는 게 좋다. 그렇게 할 때 저녁 시간을 좀 더 충실히 보낼 수 있을뿐더러 무엇을 선택하든 성취감 혹은 행복감을 느낄 수 있다.

잠들기 전의 10분 또한 놓칠 수 없는 키 타임이다. 잠들기 전의 생각은 수면 중에도 계속 이어진다. 행복한 인생을 살고 싶다면 하루를 행복하게 마무리할 필요가 있다. 10분 동안 오늘 하루 중 가장 보람차거나 행복했던 일들 세 가지를 떠올려보라. 수면 중에도 그 행복감은 계속 이어진다. 잠들기 전의 키 타임을 제대로 활용하면 다음 날 아침, 몸과 마음이 솜털처럼 가벼워진다.

독일 태생의 세계적 지휘자 크리스토프 폰 에셴바흐는 "시간을 지배할 줄 아는 사람은 인생을 지배할 줄 아는 사람이다"라고 말했다. 우리는 도도히 흐르는 시간 속에서 살아간다. 시간의 흐름을 되돌리거나 멈추게 할 능력은 인간에게 없다. 그러나 다행히 시간을 내가 원하는 곳에 사용할 수는 있다.

시간을 지배하고 싶다면 키 타임을 적극적으로 활용하라. 키 타임을 잘 사용한다면 우리의 일상 속에서 줄줄 새는 아까운 시간을 확실히 줄일 수 있다.

결단은
빠를수록좋다

인생은 선택의 연속이다. 우리는 매순간 좀 더 나은 선택을 하기 위해 적잖은 시간을 허비한다. 출근할 때는 입을 옷을 선택하고, 집을 나와서는 교통수단을 선택하고, 점심시간에는 메뉴를 선택한다. 막상 선택하고 나서 후회할 때도 있지만 이런 유형의 선택은 이내 잊어버린다. 장기기억장치에 저장해둘 정도로 중요한 선택이 아니기 때문이다.

그러나 중요한 선택의 갈림길에 서면 결단을 내린다는 게 쉽지 않다. 어떤 선택은 결단을 내리기까지 1년 이상 걸리기도 한다.

'중국과의 거래가 점점 늘어나고 있는데 지금부터라도 중국어를 공부해볼까?'

'전세가 자꾸 오르는데 대출을 받아서 집을 살까?'

'요즘 너무 막사는 것 같아. 나도 이번 기회에 종교나 가져볼까?'

어떤 사람에게는 쉬운 선택이 어떤 사람에게는 어려운 선택이 되기도 한다. 결단은 일종의 습관이다. 레스토랑에서 메뉴를 고를 때, 백화점에서 양복을 고를 때, 배우자의 생일 선물을 고를 때 거침없이 선택하는 사람들이 있다. 급한 성격 때문일 수도 있지만 대개 이런 유형은 한창 잘나가는 사람들이다. 인생의 주도권을 틀어쥐고 있기 때문에 거칠 게 없다. 반면, 그다지 중요하지 않은 선택에도 어려움을 겪는 사람들이 있다. 소심한 성격 때문일 수도 있지만 대개는 경제적으로 쪼들리는 사람이다. 인생의 주도권을 빼앗긴 채 질질 끌려가다 보니, 선택의 기로에서 늘 쉽게 결정을 내리지 못한다.

사람들이 쉽게 선택하지 못하는 가장 큰 이유는 목표가 분명하지 않기 때문이다. 선택을 했다가 타인에게 비난을 받으면 어떡하나, 나중에 후회하게 되면 어떡하나, 실패하면 어떡하나 등의 조바심과 망설임이 빠른 결단을 가로막는다. 그러나 대부분의 실패는 빠른 결단 때문이 아니라 결단을 내린 뒤의 잘못된 행동 때문이다.

데일 카네기는 말했다.

"생명은 짧고 해야 할 일은 많다."

결정하느라 시간을 낭비하지 말고, 빠르게 결정한 뒤 누리고 즐겨야 한다.

1998년 현대자동차가 법정관리에 들어간 기아자동차와 협상할 때 나는 인수단에서 전무이사로 일했다. 인수 협상이 성공리에 끝나자, 그해 12월, 기아자동차 3개 공장 중에 주력공장인 화성공장 공장장으로 부임했다. 당시 나의 임무는 최대한 빨리 공장을 정상화시키는 것이었다. 그런데 현장에서 지켜보니 일 처리가 더뎠다. 여러 이유가 있었지만 가장 큰 이유는 수평적 조직 문화 때문에 겪는 의사결정의 어려움이었다. 회의도 잦고 의견도 분분한데 무엇 하나 제대로 결정되는 일이 없었다.

나는 의사결정 체계를 간소화시켰다. 임직원들에게 권한을 부여하는 대신 결과에 따른 책임을 물었다. 성과가 높으면 체계적으로 분류해서 상을 주었고, 성과가 낮으면 벌점을 주었다. 그러자 공장은 활기를 띠었고, 의사결정 속도가 빨라졌으며, 업무 분담이 확실해지면서 공장이 정상 가동되었다.

수평적 조직 문화와 수직적 조직 문화는 저마다 장단점이 있다. 어떤 문화를 받아들이냐보다는 현장 상황에 맞게끔 유연하게 대처할 필요가 있다. 부서원들의 아이디어가 절실한 기획이나 개발 부서에는 수평적 조직 문화가 적합하겠지만 안전한 환경 속에서 효율적으로 대량생산을 해야 하는 공장에는 수직적 조직 문화가 적합하다.

흔히 인생은 기다림의 연속이라고 한다. 많은 사람이 때가 오기를 기다린다. 그러나 가만히 앉아서 제 발로 찾아오기를 기다리고 있어서는 절대로 기회를 붙잡을 수 없다. 좋은 기회나 무슨 일을 하기에 적절한 시기는 찾아오는 것이 아니라 나 스스로 결정해서 만들어 나아가는 것이다.

우리는 한정된 시간 속을 살아가는 생명체다. 충분히 검토했다 싶으면 주저하지 말고 결단을 내려야 한다. 결단을 미루는 것이야 말로 시간의 낭비요, 인생의 낭비이다. 빠른 결단은 시간을 절약시키고, 다양한 경험을 가능하게 해서 결국 인생을 풍요롭게 만든다.

일단 결단을 내렸으면 탄력을 받아 스스로 굴러갈 때까지, 모든 에너지를 일을 추진하는 데 사용할 필요가 있다. 시작해보면 명확해진다. 수백 번 검토했던 일이 뜻밖의 방향으로 흘러가기도 하고, 반대로 기대하지 않았던 일이 의외의 성과를 거두기도 한다.

성공하는 사람들은 결단이 빠르다. 크라이슬러의 회장 아이아코카가 덮개 없는 자동차 '컨버터블 카'를 개발할 때의 일화는 유명하다. 그가 기술 책임자에게 모형을 제작하라고 지시하자 기술 책임자는 표준 절차를 검토한 뒤 9개월 안에 시제품을 만들어보겠다고 답변했다. 그러자 아이아코카가 버럭 화를 냈다.

"아직도 내 말뜻을 모르는군. 당장 달려가서 차의 윗부분을 쇠톱

으로 잘라내고 가져오게!"

기술 책임자가 지붕 없는 차를 만들어오자, 아이아코카는 차를 몰고 시내를 돌아다니면서 시민들의 반응을 조사했다. 호응이 좋은 걸 확인한 그는 공장으로 돌아와서 차의 생산을 지시했다.

아이아코카는 덮개 없는 차에 대한 시민들의 반응을 확인하기 위해서 9개월을 기다린다는 것은 시간 낭비라고 판단했다. 그의 빠른 결단으로 인해 '컨버터블 카'의 생산을 최소 9개월은 앞당길 수 있었다.

결단은 습관이요, 의지의 표현이다. 미국의 시인이자 사상가인 랠프 에머슨은 이렇게 말했다.

"인생을 가장 인생답게 인도하는 힘은 의지력이다. 기둥이 약하면 집이 흔들리는 것처럼 의지가 약하면 생활이 흔들린다."

하고 싶은 일이 있다면 머뭇거리지 말고 결단을 내려라. 생명은 우리가 기대하고 상상하는 것만큼 길지 않다. 좋은 기회는 유령처럼 거리를 떠도는 것이 아니라 수많은 일 속에 파묻혀 있다. 빠르게 결단해서 여러 일을 해보는 사람이 좋은 기회를 붙잡을 수밖에 없다.

신지식으로
업그레이드하라

　　　　　식료품에는 정해진 유효기간이 있다. 유효기간은
제각각이다. 미생물의 침투가 어려운 술, 모든 세균을 살균해버린
통조림, 음식물의 온도를 0도 이하로 낮춰 미생물의 증식 환경을
차단한 냉동식품 등은 유효기간이 길다. 반면 자체에 세균이 묻어
있는 야채, 미생물이 번식하기 좋은 밥과 국수, 미생물과 영양소가
풍부하게 들어 있는 우유 등은 유효기간이 짧다.

　　유효기간은 식료품뿐만 아니라 지식에도 있다. 운전면허에도 유
효기간이 있고, 어학 성적에도 유효기간이 있고, 특허에도 유효기
간이 있다. 한국의 경우 특허는 출원일로부터 20년이고, 실용신안
은 출원일로부터 10년이다. 지식에도 유효기간을 두는 이유는 지식
도 사용하지 않으면 잊히거나 수명이 다한 형광등처럼 쓸모가 없어
지기 때문이다.

세상은 빠르게 변하고 있다. 지식 역시 살아 있는 생물처럼 끊임없이 변하고 있다. 1930년대에 발견되어 태양계의 행성 중 하나로 그 지위를 차지하고 있었던 명왕성은, 2006년 8월 24일 새롭게 정한 행성 기준에 맞지 않는다는 이유로 소행성으로 강등되었다. 졸지에 태양계 행성이었던 '수금지화목토천해명'이라는 그룹에서 퇴출당한 것이다.

지구가 우주의 중심이어서 모든 천체가 지구 주위를 돈다는 천동설이 지동설로 바뀐 것처럼 절대적 지식이라고 여겼던 과학에서조차도 뒤바뀐 사례가 허다하다. 지식의 변화 속도는 산업화 시대에서 정보화 시대로 접어들면서 점점 빨라져 전문가조차도 그 속도를 따라가기가 버거운 실정이다.

특정 방사성 핵종(核種)의 원자 수가 원래 수의 반으로 줄어드는 데 걸리는 시간을 '반감기'라 한다. 하버드대학교의 교수 새뮤얼 아브스만은 최근 출간한 《지식의 반감기》에서 지식에도 반감기와 같은 유효기간이 존재한다고 말했다. 실제로 우리가 알고 있는 지식의 절반이 틀린 것으로 드러나는 데까지 걸리는 시간을 측정해보니 물리학은 13.07년, 경제학은 9.38년, 수학은 9.17년, 심리학은 7.15년, 역사학은 7.13년, 종교학은 8.76년에 불과하다고 한다.

아브스만은 우리가 알고 있던 지식이 사실이 아니라고 밝혀진 후에도 '지식의 관성'에 의해서 낡은 지식에 매달리는 습성을 갖고 있다고 지적한다. 오래 입어서 익숙해진 낡은 옷을 선호하듯이 인간의 심리가 새로운 지식을 받아들이기보다는 낡은 지식에 여전히 안주하고 싶어 한다는 것이다.

지금은 명실상부한 정보화 시대이다. 낡은 지식의 옷은 과감하게 벗어버려야 한다. 대학에서 배운 지식을 한평생 써먹던 시대는 저물었다. 시대에 뒤처지지 않으려면 대학을 졸업한 후에도 새로운 지식을 습득하기 위해 계속 노력해야 한다. 기업이 지속 성장을 위해 연구 개발(R&D) 비용을 책정하듯이, 개인도 성장하려면 자신을 위해서 끊임없이 시간과 돈을 투자해야 한다.

같은 업종에 있는 사람들끼리 스터디 모임 등을 통해 의견을 교환하고, 각종 세미나에 참석하고, 직업과 관련된 전문 잡지를 구독하고, 세계적으로 유명한 대가의 저서도 읽어보고, 새로운 지식을 갖춘 전문가를 초빙해서 강연도 들어봐야 한다. 예전에는 지식을 내 것으로 만들기 위해 필기하고 암기했으나 이제는 그렇게까지 열심히 공부할 필요가 없다. 이제는 어떤 이론이 힘을 얻고 있고, 전체적인 지식의 흐름이 어떻게 흘러가고 있는지를 파악하는 것만으로 충분하다. 필요하다면 인터넷 검색을 통해 정확한 지식을 찾아보면 되기 때문이다.

학교 다닐 때처럼 암기하고 문제만 잘 풀어서는 유능한 직장인이 될 수 없다. 과거에는 단편적 지식이 먹혔지만 세상이 복잡하고 다채로워지면서 이런 지식은 설 자리를 잃었다. 사회는 알고 있는 지식을 상황에 맞게 활용하는 응용력과 알고 있는 지식을 바탕으로 새로운 것을 만들어내는 창의력을 갖춘 인재를 원한다.

그렇다고 해서 단편적 지식 자체가 아예 쓸모없어진 것은 아니다. 단편적 지식일지라도 다른 지식과 합쳐지면 새로운 형태의 지식이 되기 때문이다. 개개인의 힘은 약하지만 힘을 합치면 놀라운 파워를 갖게 되는 합체 로봇처럼 융·복합을 통해 탄생한 지식은 엄청난 시너지 효과를 낸다.

융·복합의 시대에는 개방적인 마인드가 필요하다. 나의 지식을 개방하고, 다른 사람의 지식을 흡수할 자세를 갖춰야 한다. 그러기 위해서는 토론 문화가 활성화되어야 하고, 다른 업종의 사람과도 지식을 공유하면서 교류하고 소통해야 한다.

톨스토이는 "단순히 암기해서 얻은 지식은 지식이 아니며 부단히 노력해서 얻은 지식만이 진정한 지식이다"라고 말했다. 새로운 지식에 대한 관심과 노력이 없다면 우리는 결코 미래를 향해 전진할 수 없다. 이제는 낡은 지식의 누더기를 벗어던지고 새로 배운다는 자세로, 도도히 흐르는 변화의 물결에 몸을 던져야 한다. 그렇게 할 때 진정한 전문가로 거듭날 수 있다.

과연 나는 이 시대의 전문가인가? 시대의 흐름에 뒤처져서 깡통 로봇 취급을 낭하기 전에 새로운 지식으로 업그레이드하라!

시작과 끝을
주의하라

  항공업계에 따르면 지금까지 비행 사고의 4분의 3
이 '마의 11분'대에 발생했다. '이륙할 때 3분, 착륙할 때 8분'을 합
쳐서 '마의 11분'이라고 부르는데, 특히 착륙할 때 사고가 많이 발
생한다. 착륙할 때는 속도를 줄이면서 활주로에 낮은 고도로 접근
해야 하고, 출력을 비행 능력 이하로 떨어뜨려야 하기 때문이다.

  일반적인 항공기는 이륙 뒤 고도를 점점 높여서 고도 2만~2만5
천피트(5600~7100m)에서 시속 700~850킬로미터로 비행한다. 정상
궤도에 접어들면 동체의 떨림이 멈추는데, 이때가 되면 좌석벨트
의 사인이 꺼지고 화장실에 가도 좋다는 안내 멘트가 흘러나온다.
정상 궤도에 접어들면 비행기는 중간에 난기류를 만날 때도 있지만
고도를 낮추고 착륙하기 전까지는 비교적 안전한 비행이 이어진다.

  항공기 운항뿐만 아니라 업무도 시작과 끝을 주의해야 한다. 사

무직의 경우는 시작과 끝이 업무의 질을 결정짓기 때문이다. 특히 출근 직후의 10분은 대단히 중요하다. 키 타임인 출근 뒤 10분을 슬기롭게 보낸 사람은 업무에 쉽게 집중한다. 반면 이 시간을 헛되이 보낸 사람은 업무에 집중하지 못하고, 물 위에 뜬 기름처럼 책상에 앉아서 아까운 시간을 낭비하게 된다. 개인적으로 복잡한 문제가 있거나 집안에 우환이 있다면 책상에 앉아 잠시 눈을 감고 명상하는 것도 좋은 방법이다. 어지러운 머릿속을 정리하고 마음을 차분히 가라앉혀야만 업무의 질을 높일 수 있다.

만약 출근해서 업무에 집중하는 데까지 시간이 오래 걸리는 타입이라면 그 시간을 최대한 단축시켜야 한다. 출근 뒤 동료들과의 불필요한 잡담은 생각을 분산시켜서 집중력 저하를 불러온다. 인터넷을 하든가 SNS를 하다 보면 머릿속에 잔상이 남기 때문에 뇌가 일에 집중하는 데 오랜 시간이 걸린다. 따라서 출근 뒤 심리 상태를 최대한 단순화시켜야 한다.

일본 프로야구에서 활동하다가 2001년 메이저리그에 입단한 뒤, 메이저리그 역사상 전무후무한 10년 연속 200안타를 때려내, 안타 제조기로 불리는 스즈키 이치로는 노력하는 야구 천재로 유명하다. 그는 홈경기를 할 때는 아내가 만들어준 카레라이스를 먹고, 원정 경기를 할 때는 치즈 피자만 먹는다. 미국에도 다양하고 맛있는 음식이 있는데 모두 외면하고, 오랫동안 단조로운 음식만 고집한 이유는 최대한 심리적 안정을 꾀해 경기에만 집중하기 위해서다.

프로는 아마추어와는 달라야 한다. 아마추어는 성장에 의미를 두지만 프로는 결과에 의미를 둔다. 직장인은 보수를 받고 일하기 때문에 프로다. 프로의 세계에서 남들보다 돋보이고 남들보다 앞서 가기 위해서는 자기희생과 노력이 필요하다.

일정한 시간을 정해서 전 직원이 업무에 집중하는 '집중근무시 간제'를 일본 기업으로부터 처음 도입한 것은 20년 전이다. 하루 여 덟 시간 근무 중 부가가치를 창출할 수 있는 시간은 서너 시간에 불 과하고, 일이 많아서 야근하는 게 아니라 일에 집중하지 못해서 밤 늦게까지 일한다는 분석이 쏟아지자, 불필요한 근무 시간을 줄일 겸해서 업무 효율이 높은 시간을 '집중근무시간'으로 정하였다. 이 시간에는 임직원의 호출을 일절 금지하고, 부서 간 이동이나 전화 도 금지하고, 협력업체의 출입마저도 막아 일에만 전념할 수 있는 환경을 조성하였다. 몇몇 기업에서 효과를 보았다는 보고서가 나오 자 지금은 대다수 기업에서 '집중근무시간제'를 도입하고 있다.

그렇다면 그 뒤로 한국 직장인의 업무 집중도는 개선되었을까?

한 컨설팅 회사에서 실시한 2012년 '글로벌 인적자원 설문 조사' 에 따르면 한국 기업 구성원 중 '몰입 수준이 높은' 구성원은 전체 의 17퍼센트에 불과했다. 열에 여덟 명은 여전히 일에 몰입하지 못 한 채 책상에만 앉아 있다는 의미다.

누가 시켜서 하는 것이 아닌 자발적으로 일할 때, 집중력이 높아 질뿐더러 성취도 또한 높아진다. 책상에 앉아서 상사의 눈치를 볼 게 아니라, '집중근무시간'인 9시 30분을 기다릴 게 아니라, 출근했 으면 정해놓은 스케줄에 따라 자발적으로 업무를 처리하는 습관을 길러야 한다.

퇴근할 때도 마찬가지다. 느슨해진 긴장의 끈을 최대한 조여서 업무에 집중해야 한다. 마무리를 안 하거나 대충 해버리면, 직장에서의 소중한 나의 하루가 일상이라는 이름의 먼지 더미 속에 파묻혀버려서, 아무런 성취감도 느낄 수 없다. 오랜 세월이 흐른 뒤에도 나의 하루하루를 한눈에 파악할 수 있도록 업무 일지나 다이어리를 통해 체계적으로 기록해놓는 게 좋다.

업무 일지를 쓸 때는 잠시 자기 점검의 시간을 갖는 게 좋다. 잘한 일이 있으면 구체적으로 기록한 뒤 스스로를 칭찬해주고, 잘못한 일은 문제점을 파악하여 기록한 뒤 수시로 볼 수 있도록 빨간 펜으로 밑줄을 그어놓는다. 그런 다음 내일 스케줄을 점검하고, 일의 우선순위를 정한다. 다음 날 아침에 출근하면 곧바로 업무에 전념할 수 있도록 책상 주변을 정리한다.

사무직뿐만 아니라 영업직도 시작과 끝을 주의해야 한다. 영업에서는 고객이 마음 편하게 영업사원과 마주앉아 이야기할 수 있는 시간을 '골든타임'이라고 한다. 만약 식당 주인을 상대로 영업하고 싶다면 손님이 몰려와서 분주히 일하고 있는 시간대는 피하고, 손님이 없는 한가한 시간대를 선택하는 게 현명하다.

골든타임에 고객과 마주앉았다면 시작부터 고도의 집중력을 발휘해야 한다. 심리학자들의 이론에 의하면 30초 안에 이루어지는 대화가 전체 대화의 내용을 결정짓는다고 한다. 30초 안에 고객의 흥미를 끌어내야 하기 때문에 상대방의 눈빛과 표정을 살피며 대화 한마디 한마디에 집중해야 한다.

30초 안에 고객의 흥미를 끌어내는 데 성공했다면 이제 남은 건 마무리다. 볼 점유율이 높아도 골을 못 넣으면 경기에서 지듯이, 시작을 잘해도 마무리를 못하면 계약을 성사시킬 수 없다. 고객이 계약서에 서명하기를 한사코 꺼린다면 포기하지 말고, 언제 계약하겠다는 구두 약속이라도 받아내야 한다.

《대학(大學)》에 '물유본말 사유종시(物有本末 事有終始, 물건은 근본과 말단이 있고 일은 끝과 시작이 있다)'라는 문구가 나온다. 시작을 잘하고 끝맺음을 못하는 자는 소인이요, 시작은 못 했지만 끝맺음을 잘한 자는 중인이요, 시작과 끝을 잘하는 자가 대인이다. 업무 성과를 높이려면 항상 시작과 끝을 주의해야 한다.

성과를 내는
패턴을 찾아라

인간의 뇌는 일정한 패턴을 발견하는 데 뛰어난 능력을 갖고 있다. 우뇌는 패턴 인식 기능이 있어서 동물이나 물체를 발견하면 이미지화해서 기억 창고에 저장한다. 우리가 비슷하게 생긴 무수한 사람의 얼굴을 분간할 수 있는 이유도 이 때문이다.

패턴 인식 기능은 인류가 진화하는 과정에서 얻은 선천적 기능이다. 일정한 패턴에 익숙해지면 유추 능력도 발달해서 바위 밖으로 나와 있는 꼬리만 발견하고도 호랑이임을 알아채고, 뿔만 보고도 사슴임을 알아챈다. 이처럼 패턴 인식 기능은 아군과 적군을 빠르게 식별하여 인류의 생존율을 높여왔다.

아이는 보통 생후 6개월부터 2년 사이에 낯가림을 한다. 낯가림을 한다는 것은 내 편인 사람과 그렇지 않은 사람을 구분해내는 능력을 갖췄음을 의미하며, 패턴 인식 기능이 정상적으로 작동하고 있다는 증거이기도 하다.

반복되는 행위에는 일정한 패턴이 있게 마련이다. 예를 들어서 두 개의 중국 진출 기업 중 한 곳은 성공하고 한 곳은 실패했다면, 이런 경우 분석 사례가 단 두 개이기 때문에 일정한 패턴을 찾을 수 없다. 그러나 1천 개의 기업이 진출하고 그중 57퍼센트가 성공했다면 성공한 기업이 갖춰야 할 패턴과 실패한 기업이 흔히 저지르는 실수 패턴을 찾아낼 수 있다.

승리에는 일정한 패턴이 있다. 경제 저널리스트 마이클 루이스의 원작을 영화화한 〈머니볼〉에는 브래드 피트가 메이저리그 구단 중 선수 총 연봉이 가장 적은 오클랜드 에슬레틱스의 단장 빌리 빈으로 출연한다. 2002년 시즌을 앞두고 빌리는 예일대학교 경제학과를 졸업한 통계 전문가 피터 브랜드를 영입하여, 경기에서 승리하는 데 불필요한 외모나 스타성 등을 배제하고 철저히 통계와 데이터를 중시하는 선수 영입으로 성공을 거둔다.

명감독은 개인이 지닌 역량이 뛰어나다기보다는 빌리 빈처럼 승리 확률이 높은 패턴을 찾아내서 유지하고 관리하는 사람이다. 그래서 승률이 높은 팀은 별다른 변화가 없는 한 일정한 승률을 유지한다. 감독을 교체하고, 새로운 선수를 영입하는 등의 변화는 주로 승률이 낮은 팀에서 꾀하게 마련인데, 패배의 패턴에서 벗어나기 위한 몸부림이라고 할 수 있다.

이처럼 인간이 갖고 있는 뛰어난 능력 중 하나인 패턴 인식 기능을 업무에 적용한다면 높은 성과를 올릴 수 있다. 어떤 직장이든 성과가 높은 사원과 성과가 낮은 사원은 대개 정해져 있다. 성과가 높은 사원은 성과를 내기 위해 하루를 어떻게 살아야 하는지에 대해 잘 알고 있다. 출근해서 제일 먼저 무엇을 해야 하는지, 누구에게 메일을 보내고 전화를 해야 하는지, 누구부터 만나러 가야 하는지, 만나서 무슨 말을 해야 하는지에 대해서 직감적으로 파악하고 있다. 반면, 성과가 낮은 사원은 무엇을 해야 하는지에 대해서 아예 모르거나 알고 있다고 해도 실천하지 못하는 경우가 대부분이다.

높은 성과를 내는 패턴을 찾고 싶다면 다이어리에 꼼꼼하게 업무 사항을 기록하는 게 좋다. 그날 처리했던 일과 일어났던 모든 일은 물론이고, 만난 사람, 먹은 음식, 심리 상태까지 상세히 기록하라. 오랫동안 업무 일지를 쓰다 보면 성과를 높이기 위해서 해야 할 일과 하지 말아야 할 일을 분류할 수 있다. 꾸준하게 성과를 내기 위해서는 100퍼센트 만족스런 하루는 아니더라도 90퍼센트 이상은 만족스런 하루하루를 보내야 한다.

직장인은 관행에 젖어서 습관적으로 일을 하는 사람이 아니다. 일을 처리하는 과정에서 새로운 지식을 습득하며 일과 함께 성장해 나가는 사람이다. 따라서 어제보다 나은 사람이 되겠다는 각오와 자세가 필요하다.

사서오경 중 하나인 《대학》에는, 은 왕조 시대 때 탕 임금이 세숫대야에다 '진실로 날로 새로워지려면 나날이 새롭게 하고 날로 새롭게 하라(苟日新 日日新 又日新)'라는 뜻의 아홉 개 한자를 새겨놓고, 매일 세수할 때마다 그 글자들을 보며 몸과 마음을 바르게 하고, 정치에 대한 각오를 새롭게 하였다는 내용이 나온다. 탕 임금의 이러한 행동은 올바른 정치를 하기 위한 패턴의 일부라고 할 수 있다.

　사실, 높은 성과를 올리기 위한 업무 패턴은 아주 작은 데서부터 시작된다. 충분한 수면, 여유 있는 출근, 기분 좋은 인사, 가벼운 칭찬 한마디, 상사나 동료에 대한 신뢰……. 이런 작은 것들이 긍정적인 마인드, 업무 스킬과 적절히 조화를 이룰 때 개인 능력이 한껏 발휘되고, 업무 성과가 높아진다.

　어떻게든 시간만 때우고 봉급만 받으면 된다는 마인드라면 조직은 물론이고 개인에게도 커다란 불행이다. 우리에게 주어진 하루는 무한하지 않다. 스위스의 철학자 앙리 프레데릭 아미엘은 이렇게 경고했다.

　"오늘 하루를 헛되이 보냈다면 그것은 커다란 손실이다. 하루를 유익하게 보낸 사람은 하루의 보물을 파낸 것이다. 하루를 헛되이 보냄은 내 몸을 헛되이 소모하고 있음을 기억해야 한다."

　어차피 보내야 할 시간이라면 성과를 내는 패턴을 찾아내서 최상의 하루를 보내라. 일에 대한 성취감과 함께 삶에 대한 만족감을 동시에 얻을 수 있다.

관심을
기울여라

　　　사회생활에서 인간관계의 중요성은 아무리 강조
해도 지나치지 않다. '사회'라는 것 자체가 인간관계를 통해서 형성
되고 유지되기 때문이다. 개인의 능력이나 자질도 중요하지만 평가
도 결국은 사람이 하다 보니, 인간관계가 원만하지 못하면 성과에
비해 제대로 인정받지 못하는 경우도 허다하다.

　특히 사내에서의 인간관계를 잘 못할 경우, 극심한 스트레스에
시달려야 한다. 직장인이 회사를 옮기는 이유를 보면 처우나 복지
에 대한 불만 다음으로 높은 것이 인간관계다. 상대적으로 높은 처
우나 복지 조건을 갖춘 대기업의 경우에는 인간관계에서 오는 스트
레스로 인한 이직이 대부분이다.

　인간관계는 양날의 검처럼 장단점이 있다. 처신만 잘한다면 직
장생활을 하는 데 그것보다 훌륭한 무기도 없다. 그러나 잘못 처신

하는 경우, 하루하루가 지옥에서 생활하는 것처럼 고통스럽다.

직장에서 인간관계를 잘하는 비결이나 방법에 대해서는 인터넷만 검색해봐도 쉽게 찾을 수 있다. 수많은 직장인이 관심을 갖는 분야이다 보니 전문가들의 조언이 끊이질 않는다.

현장에서 다양한 사람과 인맥을 맺으며 한평생을 살아왔으니 인간관계에 대해서는 나 역시 전문가라 할 수 있다. 간혹 주변에서 나에게 인간관계에서 가장 중요한 것 한 가지만 짚어달라고 하면, 나는 주저 없이 '관심'을 꼽는다.

관심은 인간관계의 핵심이자 모든 것이다. 상대방에 대한 관심을 제대로 기울일 줄만 알아도 인간관계에서 9할은 성공한 것과 진배없다. 관심에는 모두 5단계가 있다.

관심 1단계 : 인사

사회생활은 '인사만 잘해도 성공한다'는 말도 있듯이 인사는 성공으로 들어가는 관문이다. 타인에게 건네는 인사는 '나는 당신에게 관심이 있습니다'라는 1차적 표현 방식이다. 신입사원은 연수때 받은 교육 덕분인지 대개 인사를 잘한다. 반면, 연차가 쌓일수록 인사에 소홀한 경향이 있다.

상사의 업무 중에는 부하 직원들의 동태를 파악하는 일도 포함되어 있다. 상사가 인사를 건성으로 받는다고 해서 슬쩍 건너뛰거나 건성으로 인사하는 부하 직원들이 있다. 상사의 입장에서는 인사를 받지 못하면 '빈자리'로 느낄 수 있고, 건성으로 하면 '나는 당신 따위에게는 관심이 없습니다'라는 의미로 받아들일 수도 있다. 출·퇴근 시는 물론이고, 외근 나갈 때에도 인사는 반드시 챙겨 해야 한다.

물론 상사라고 해서 예외는 아니다. 부하 직원이 인사를 하면 아무리 업무가 바쁘더라도 눈을 마주치며 인사를 받아주어야 한다. 이는 관리자로서의 의무이자 부하 직원에 대한 관심의 표현이다.

관심 2단계 : 칭찬

상대방에 대한 관심이 일정 기간 축적되면 비로소 칭찬할 거리가 생긴다. 구체적으로 무엇을 잘하는지 알게 되고, 어떤 마인드를 갖고 있는지 파악하게 되고, 자신의 취약한 부분을 보완하기 위해서 어떤 노력을 기울였는지, 프로젝트를 성사시키기 위해서 무엇을 어떻게 했는지 등등을 상세히 알 수 있게 된다. 칭찬은 조직은 물론이고 개개인에게도 생기를 불어넣는다.

"넥타이가 양복 색깔과 참 잘 어울리세요!"

"무슨 좋은 일이라도 있으세요? 오늘 표정이 무척 밝으세요!"

이러한 칭찬도 나에 대한 호감지수를 높여준다. 만약 그 지수를 1점이라고 가정한다면 관심을 기울인 뒤에 찾아낸 구체적인 칭찬은 10점만큼의 가치가 있다.

"김 과장님만큼 문서 작성을 완벽하게 하는 분은 처음 봅니다. 단어 사용이며, 문장이며, 맞춤법이며 그 어느 것 하나 정확하지 않은 곳이 없네요. 앞으로 많은 지도 부탁드립니다!"

"박 부장님은 정말 마인드가 탱크 같으세요! 저희 모두 포기할 거라고 예상했는데 끝까지 밀어붙여서 결국 이뤄내시네요. 정말 존경스럽습니다!"

이런 종류의 칭찬은 상대방이 몹시 듣고 싶어 하는 칭찬이다. 이런 칭찬을 들으면 자신의 오랜 노력과 인내가 마침내 인정받은 기분이 들기 때문에 쉽사리 잊히지 않는다.

관심 3단계 : 기대치

꾸준하게 관심을 기울이다 보면 나에 대한 상사의 기대치를 알게 된다. 대개 업무 전반에 대한 칭찬이나 꾸중은 기대치에 의해 결정된다. 똑같은 일이라도 상사의 기대치를 넘기면 기뻐하고, 못 미칠 경우에는 실망한다. 나에 대한 기대치가 높다는 것은 그만큼 상사가 나를 인정한다는 의미다. 부담스럽더라도 기대치에서 벗어나지 않도록 처신할 필요가 있다.

상사 역시 마찬가지다. 직급이 높을수록 부하 직원들의 기대치도 높아진다. 그들의 기대치를 충족시킬 때 신뢰를 얻을뿐더러 리더십을 발휘할 수 있다. 모든 일에서 솔선수범해야 함은 물론이고, 일을 진행하는 과정에서 문제가 생겼을 때는 내가 모두 책임지겠다는 마음의 자세를 지녀야만 부하 직원들의 기대치를 충족시킬 수 있다.

관심 4단계 : 경조사

관심이 좀 더 깊어지면 상대방의 경조사에 대해 훤히 꿰뚫게 된다. 다소 번거롭더라도 경조사를 일일이 챙겨주면 동지 의식이 깊어진다. 상사가 부하 직원을 챙겨주면 감동하게 마련이고, 부하 직원이 상사를 챙겨주면 내심 흐뭇해한다.

관심 5단계 : 공감

더욱 더 관심이 깊어지면 상대방이 느끼는 불안과 초조를 공감할 수 있게 된다. 인간은 다른 사람들 앞에서는 강한 척해도 혼자 있으면 몹시 약한 존재다. 미래를 예측할 수 없기에 별것 아닌 일에도 불안과 초조에 휩싸인다. 이럴 때 함께 공감하고 말 한마디라도 다정히 건네준다면 직장 선후배 사이를 뛰어넘는 지극히 인간적인 관계가 형성된다.

조지 버나드 쇼는 관심에 대해 이렇게 말했다.
"주변 사람들에게 저지르는 가장 큰 죄는 그들에 대한 미움이 아니다. 무관심이야말로 가장 큰 죄다. 무관심은 비인간성을 대표하는 반인간적인 감정이다."

직장생활을 오래 하다 보면 만남 자체가 상투적으로 변질된다. 매일 보는 사이이다 보니 왠지 다 알고 있는 듯한 착각에 사로잡히기도 한다. 가끔 '과연 나는 저 사람을 제대로 알고 있는가?' 하고 자문해보라. 단지 함께 근무하고 있다는 사실만으로 그를 안다고 착각하고 있지는 않은지, 반인간적인 감정에 사로잡혀 있지는 않은지……

긍정적으로
대답하라

　　사회생활을 잘하기 위해서는 태도가 무척 중요하다. '태도(態度)'란 사람의 가치관에 따라 나타나는 행동 및 감정을 말한다. 대화를 많이 하지 않아도 태도를 살피다 보면 그 사람의 버릇이나 습관 등을 어렵잖게 파악할 수 있다.

　'좋은 태도'를 지닌 사람은 반듯하다. 말씨부터 눈빛, 표정, 행동이 일관성이 있다. 이런 사람에게 서비스를 받으면 기분이 좋다. 반면 '나쁜 태도'를 지닌 사람을 보고 있으면 불안하다. 말씨와 행동은 공손한데 눈빛이나 표정은 불손하다. 그 사람의 생각이 태도를 통해 은연중에 드러나기 때문이다. 이런 사람에게 서비스를 받고 나면 불쾌하다.

　사회에서 성공하기 위해서는 태도를 바르게 해야 한다. 특히 적극적인 태도는 상사에게 사랑받는 비결이다.

조직에서 다양한 사람과 함께 일을 해나가는 리더는 조직원들을 데리고 미래를 향해 달려가야 하는 존재다. 업무를 추진하기 위해서는 힘차게 액셀러레이터를 밟아야 한다. 일이란 살아 있는 생물 같아서 해야 할 때, 그 적기가 있다. 그 시기를 놓치면 후발주자가 되거나 설령 그 일을 성사시킨다 해도 빛이 나지 않는다.

무능한 조직일수록 브레이크가 발달해 있다. 조직원 다수가 패배 의식에 젖어 있어서 모험은 고사하고 작은 도전조차도 두려워한다. 리더가 액셀러레이터를 밟으려고 하면 이내 브레이크를 건다.

"안 됩니다."

"곤란합니다. 생각처럼 그렇게 간단한 문제가 아닙니다."

"현실적으로 불가능합니다. 작년 실적을 빤히 아시면서 어떻게……."

"저는 못합니다!"

특히 전문가를 자처하는 사람일수록 자기 고집이 강하다. 내가 알고 있는 것만이 지식의 전부라는 착각에 사로잡혀 있기 때문이다.

전문가나 중간관리자가 못하겠다고 선포해버리면 분위기는 이내 안 되는 쪽으로 굳어진다. 일을 해낼 능력을 지닌 사람도 앞으로 나서지 않고 눈치만 살핀다. 일이 잘되면 좋겠지만 일이 잘못되어서 모든 책임을 떠안게 되지는 않을까 하는 불안감 때문이다. 그러나 무능한 조직에도 적극적인 태도를 지닌 직원이 한두 명쯤은 있게 마련이다.

"제가 해보겠습니다!"

모두 못하겠다고 뒤로 나자빠질 때 누군가 앞에 나서준다면 리더의 입장에서는 여간 반가운 일이 아닐 수 없다.

"좋아! 걱정하지 말고 추진해봐. 무슨 문제가 생기면 내가 다 책임질게!"

이런 직원이라면 최대한 힘을 실어줄 수밖에 없다.

현장에서는 이론가나 비평가보다는 일을 추진할 실무자가 필요하다. 누구나 생각할 수 있고, 누구나 해낼 수 있는 일이고, 누구나 달성할 수 있는 목표라면 구태여 리더가 시키지도 않는다.

마인드 자체가 부정적이라고 해도 상사가 일을 시키면 일단 긍정적으로 대답하는 게 좋다. 일이 동전처럼 앞면과 뒷면으로만 이루어져 있는 경우는 드물다. 6면체, 8면체, 16면체인 경우가 대부분이다. 똑같은 일도 어떤 면을 보느냐에 따라 쉽게 느껴지기도 하고, 어렵게 느껴지기도 한다.

"안 됩니다!"라고 소리 내서 대답해버리면 해낼 수 있는 일도 불가능한 일처럼 느껴진다. 의식과 무의식이 안 되는 이유만 쏙쏙 찾아내기 때문이다. 상사가 아무리 알아듣기 쉽게 설명해도 뇌는 받아들이기보다는 반박할 궁리만 한다.

일단 "네, 해보겠습니다!" 하고 대답을 해놓으면 정말 할 수 있을 것 같은 느낌이 든다. 말에 책임을 져야 한다는 생각이 스며들면서 의식과 무의식이 해낼 수 있는 방법을 전력을 다해 찾는다.

적극적 태도를 지닌 사람이 긍정적인 대답을 하지만 때로는 긍정적 대답이 적극적인 태도를 불러오기도 한다. 상사가 시키면 일단 해보겠노라고 대답하라. 긍정적으로 검토해본 뒤 아무리 고민해도 문제점을 해결할 수 없다면 그때 상사에게 구체적으로 보고하라. 일을 시킨 사람은 이미 문제점을 파악하고 있거나 해결 방안을 가졌을 수도 있다.

늘 해왔던 일이라면 문제가 없어야 한다. 그러나 새롭게 추진하는 일인데 아무 문제가 없다면 발견하지 못한 문제가 어딘가에 숨어 있다는 증거다. 일을 처음 진행하는 과정에서 크고 작은 문제가 생기는 건 당연하다. 일을 성사시켰다는 것은 곳곳에 숨어 있던 문제점을 제거했음을 의미한다.

문제가 있다고 해서 지레 겁을 먹고 뒷걸음질해서야 무슨 일을 해내겠는가. 상사에게 인정받고, 성과를 높이려면 일을 자발적으로 맡아 해야 한다. 그럴 때 즐거운 마음으로 일할 수 있고, 창의력과 능력을 한껏 발휘할 수 있다. 상사의 강압에 의해서 떠맡은 일은 좋은 성과를 내기 어렵다. 일을 처리할 때는 동기부여가 중요한데, 억지로 떠맡은 일이라면 제대로 된 동기를 부여할 수 없기 때문이다.

《승자의 심리학》의 저자이자 세계적 경영 컨설턴트인 데니스 웨이틀리는 성공의 비결에 대해서 이렇게 말했다.

"기회는 배를 타고 오지 않고 우리 내부로부터 온다. 기회는 전혀 기회처럼 보이지 않고, 불행이나 실패나 거부의 몸짓으로 변장을 해서 우리 앞에 나타난다. 비관론자들은 모든 기회에 숨어 있는 문제를 보고, 낙관론자들은 모든 문제에 숨어 있는 기회를 본다."

적극적인 태도로 직장생활을 할 수 있다면 더할 나위 없이 좋지만 성격이나 살아온 환경 등으로 인해 불가능하다면 긍정적으로 대답하는 습관을 길러라. 일단 대답하고 나면 그것이 문제가 아니라 오히려 기회임을 깨달을 것이다.

어려운 일을
회피하지 마라

CEO는 임직원들에게 존경과 인기를 얻고 싶어한다. 그러나 사업을 하다 보면 항상 칭찬과 박수갈채만 받을 수는 없다. 때로는 해고, 임금 동결, 비용 삭감, 진행하던 프로젝트 중단 같은 인기 없는 결정도 내려야 한다. 결정을 머뭇거리다가는 기업이라는 배 전체를 침몰시킬 수도 있다.

간부회의를 통해 리더가 결정을 내리면 누군가 악역을 맡아서 그 일을 처리해야 한다. 그런데 모두가 악역만큼은 피하려 한다. 그 누가 자신의 이미지에 먹칠을 하고 싶겠는가. 그 누가 자신을 믿고 따랐던 부하 직원들을 실망시키고 싶겠는가.

인간은 생김새도 다르고 개성도 제각각이라 차이가 많을 것 같지만 유전자가 99.9퍼센트가 같아서 기본적 심리는 거의 비슷하다. 내가 좋아하는 일은 남도 좋아하고, 내가 하기 싫은 일은 남도 싫어

한다. 그래서 영웅은 난세에 나는 법이다. 평화로운 시대라면 신분과 법률 때문에 비난받았던 일도 난세에는 오히려 환영받는다.

모두가 맡기 싫어하는 일은 위기가 아닌 기회다. 이런 경우 생각을 뒤집어보면 명확해진다. 모두가 맡고 싶어 하는 일이라면 과연 나에게까지 기회가 돌아올까? '다수의 생각이 옳다'라는 사회적 법칙에 반하는 일이라 결정을 내리기란 쉽지 않다. 그러나 이런 기회마저 놓쳐버린다면 직장생활을 하는 동안 잡을 수 있는 기회는 많지 않다.

상사는 기회가 있을 때마다 부하 직원의 능력을 시험해보고 싶어 한다. 개개인의 능력을 파악해야 적재적소에 배치할 수 있기 때문이다. 평소 상사가 부하 직원들을 어떻게 생각하는지는 맡기는 일의 종류를 보면 어렵지 않게 짐작할 수 있다.

만약 상사가 나에게 쉬운 일만 시킨다면 결코 좋아할 일이 아니다. 그것은 바꿔 말하면 '너는 아직 신임할 만한 인재가 아니다'라는 뜻이다. 기본을 충실히 쌓으면서 내 차례가 되기를 묵묵히 기다려야 한다. 가장 핵심적인 프로젝트를 맡긴다면 '내가 믿을 수 있는 사람은 너뿐이다'라는 뜻이다. 지금처럼만 성실하게 해나간다면 직장에서 무난히 승승장구할 수 있다. 성공해도 크게 생색은 나지 않지만 실패하면 난처해질 수 있는 프로젝트를 맡긴다면 '네가 인재라면 이제 너의 능력을 증명해봐라'라는 뜻이다. 마침내 상사의 마음을 사로잡을 기회가 온 셈이다.

직장인이라면 누구나 핵심 프로젝트를 맡고 싶어 한다. 그러나 직급이 같더라도 눈에 보이지 않는 서열이 있게 마련이어서, 이런 일은 능력이 검증된 엘리트 사원에게 돌아간다. 핵심 프로젝트를 맡고 싶다면 먼저 상사의 마음부터 사로잡아야 한다. 그러기 위해 평소 나의 능력을 증명할 필요가 있는데, 모두가 맡기 싫어하는 프로젝트는 상사에게 한 발 다가설 절호의 기회다.

상사가 "이 일을 해볼 사람 없어?" 하고 묻는다면 "네, 제가 하겠습니다!" 하고 자청하라. 만약 상사가 따로 불러서 자초지종을 이야기하고 프로젝트를 맡긴다면 흔쾌히 맡아라. 일 처리가 어렵다는 것을 내가 알 수 있다면 상사도 이미 알고 있다. 은근히 미안해하고 있을 상사의 마음을 불편하게 하는 것은 좋은 전략이 아니다. 미소와 함께 "걱정 마십시오. 제가 잘 처리하겠습니다!"라고 자신 있게 대답하면 더없이 고마워할 수밖에 없다.

이런 일은 어느 정도 리스크가 따른다. 잘해도 생색은 나지 않지만 잘못되면 나뿐만 아니라 상사의 입장이 난처해질 수 있다. 실수하지 않도록 최대한 집중해서 일을 처리해야 한다. 시간과 에너지를 많이 잡아먹는 일이기는 하지만 무사히 끝내면 상사는 나를 반드시 기억하게 된다. 마음의 빚 때문이다. 사회생활을 하는 사람은 마음의 빚이 생기면 빚을 갚기 전에는 그 사람을 절대 못 잊는다. 평상시에는 무심한 척 지낼지라도 좋은 자리가 나면 제일 먼저 불러서 그 자리에 앉힌다.

과거에는 현실과 가상세계를 제대로 구분하지 못해서 영화나 드라마에서 악역을 맡으면 대중으로부터 수많은 비난을 받았다. 그러나 지금은 악역을 맡는다고 비난을 받거나 인기가 떨어지지 않는다. 실감나게 연기할 경우 연기파 배우로 인정받아 오히려 팬들이

늘어나고 인기도 상승한다.

　회사에서 악역을 맡는다고 반드시 동료나 부하 직원들과 사이가
나빠지는 것은 아니다. 사사로운 감정은 배제하고 회사 규정대로만
공정하게 처리하면 된다. 단, 칼자루를 쥐었다고 해서 무자비하게
휘둘러서는 안 된다. 그들이 겪는 개인적 불행에 대해 아파하고 공
감대를 충분히 형성한다면, 비 온 뒤에 땅이 굳는다고 오히려 사이
가 더 돈독해지기도 한다.

　미국의 베스트셀러 작가이자 인간 경영 및 자기계발의 거장 데
일 카네기는 이렇게 말했다.

"기회를 놓치지 마라! 인생은 모두가 기회이다. 제일 앞서가는 사람은 과감히 결단해서 실행하는 사람이다. '안전제일'을 지키고 있다면 결코 먼 곳까지 배를 저어 갈 수 없다."

사업가이든 직장인이든 간에 힘들고 위험한 일을 회피해서는 결코 성공할 수 없다. 용을 잡으려면 다소 위험이 따르더라도 승천하기 전에 잡아야 한다.

장점에
생기를 불어넣어라

본다는 것과 안다는 것이 다르고, 안다는 것과 실천한다는 것이 또 다르다. 우리는 매일 거울 속의 나를 보며 산다. 거울 속에 비친 나는 세상 그 무엇보다 익숙하다. 그러다 보니 뇌는 나 자신을 잘 안다고 착각한다.

그런데 정말 나에 대해서 제대로 알고 있는 걸까?

환경이 바뀌면 생각이 바뀌고, 생각이 바뀌면 행동이 바뀌는 법이다. 학교 다닐 때 공부만 하던 내향적인 사람도 오랫동안 영업을 하다 보면 외향적으로 바뀌고, 학교 다닐 때 놀러만 다니던 사람도 '분노조절장애'를 앓고 있는 호랑이 같은 상사 밑에서 오랫동안 근무하다 보면 내향적으로 바뀐다. 직업에 따라 나의 장점이 빛을 발하기도 하지만 오히려 묻히는 경우도 허다하다.

눈에 보이는 것이 전부는 아니다. 현재 거울에 비친 모습만으로 나의 장점을 속단하지 말고, 찬찬히 살아온 날들을 되짚어보면서 진정한 장점이 무엇인지 파악하라. 생계 때문에 정신없이 바쁘다 보니 한동안 잊고 살았던 나의 지능을 발휘할 때가 됐다.

과거에는 지능을 측정할 때 IQ테스트를 했다. 그러나 IQ테스트는 인간이 지닌 지능 중 일부분만을 편협하게 측정해서 서열화한다는 문제점이 있었다. 인간의 능력을 단순화시킨 IQ테스트를 반박하며 등장한 것이 '다중지능이론'이다.

하버드교육대학원 교육심리학 교수 하워드 가드너는 1983년 《정신의 구조 : 다중지능이론》이라는 책에서 지능은 서로 독립적이고 다른 일곱 가지 유형의 능력으로 구성된다는 '다중지능이론'을 주장했다. 기존의 IQ테스트는 언어적 기능과 수리적 기능을 주로 측정하는데, 이러한 지능은 좌뇌의 기능 중에서도 일부분에 불과하므

로, 두뇌의 전반적 기능을 측정해야 한다는 내용이었다. 그가 분류한 일곱 가지 유형은 언어 지능, 논리-수학적 지능, 공간 지능, 신체 운동 지능, 음악 지능, 인간 친화 지능, 자기성찰 지능인데, 그 뒤로도 계속 연구해서 자연 친화 지능, 실존 지능을 차례대로 세상에 내놓았다.

가드너는 아홉 가지 유형 외에도 수백 가지 지능이 있을 수 있다고 말한다. 몇 가지만 예를 든다면 영적인 지능, 도덕적 감수성 지능, 성에 대한 관심 지능, 유머 지능, 직관 지능, 창의력 지능, 요리 능력 지능, 후각 능력 지능, 다른 지능을 종합하는 지능 등이다.

'다중지능이론'은 학생들의 능력을 정확히 측정하기도 어려울뿐더러 학교에서 개개인의 능력에 맞는 교육을 실시할 수 없다는 점에서 비현실적이라는 비난을 받았다. 그럼에도 불구하고 교육자들이 다중지능이론에 끊임없이 관심을 기울이는 이유는, 뇌과학의 발달로 인간이 지닌 능력이 다양하다는 사실이 속속 밝혀지고 있기 때문이다.

인간의 지능은 참으로 다양하다. 어느 특정한 분야에 발달된 지능이 있다는 것은 남다른 장점을 가졌다는 의미다. 장점을 살려서 직업으로 삼으면 그보다 좋을 수 없겠지만 현실은 그렇지 못하다. 대다수가 장점과는 상관없는 직업을 선택하며 살아간다. 그렇게 생활 전선에서 바쁘게 살아가다 보면 장점은 세월의 먼지 속에 파묻히고 만다.

비록 장점과는 전혀 다른 직업을 선택했을지라도 장점을 개발할 필요가 있다. 취미생활로라도 장점을 살려나가다 보면 자신감이 붙고, 세상을 보는 남다른 안목이 생긴다. 그러다 보면 어느 날 문득, 직업과 장점을 하나로 만들 연결 고리를 발견하게 된다.

내가 기아자동차 영업본부장으로 있던 당시의 일이다. 강북의 지점을 방문했다가 우연히 영업사원 K의 다이어리에 그려진 개 그림을 발견했다. 나는 어려서부터 동양화가인 어머니의 손에 이끌려 국전(國展)을 비롯한 미술 전시회를 보러 다녔고, 틈틈이 그림도 그리고 있었기 때문에 그림을 보는 안목은 있었다. K는 심심해서 장난 삼아 그린 거라고 했는데 그림에 상당한 재능이 있어 보였다.

"훌륭해! 선이 정말 아름다워. 아까운 재능 썩히지 말고 잘 살려보게."

격려의 의미로 어깨를 가볍게 다독거리고는 지점을 나섰다. 그로부터 3년쯤 지나서 우연히 K를 만났다. 나는 기억력이 상당히 좋은 편인데 내가 알던 K가 아니었다. 사람이 완전히 바뀌어 있었다. 예전과 달리 눈빛은 자신감에 차 있었고, 전신에 은은한 기운이 감돌았다.

K는 3년 전, 내 말을 듣고 느끼는 바가 있어서 다시 그림을 그리기 시작했다고 했다. 퇴근 후 틈틈이 그림을 그리다가 얼마 전부터 고객에게 캐리커처를 그려서 선물했는데, 반응이 무척 좋았단다. 나는 비로소 그가 달라진 이유를 알 것 같았다.

장점에 생기를 불어넣으면 인생에 생기가 돈다. 아무리 직장생활이 바쁠지라도 저마다의 장점을 적극적으로 살릴 필요가 있다. K는 점점 묻혀가는 자신의 장점을 살려서 직업과 접목시킨 좋은 케이스라 할 수 있다.

융·복합의 시대이다. 서로 어울릴 것 같지 않은 자동차와 캐리커처가 합쳐져 훌륭한 시너지 효과를 내는 것처럼 말이다. 사회생활을 하다 보니 학창 시절의 꿈과 멀어졌다고 포기하지 마라. 나의 장점을 그대로 묻어두지 말고 직업에 접목시킬 방법을 찾아라. 그것이 풍요로운 인생을 사는 비결이다.

그리스의 철학자 에피쿠로스는 "자기가 소유하고 있는 것을 가장 풍부한 재산으로 여기지 않는 자는 비록 그가 이 세상의 주인일지라도 불행하다"고 말했다. 타인이 가진 것을 부러워하지 말고 내가 소유하고 있는 것, 내가 잘할 수 있는 것에 주목하라. 그것이 바로 직장에서 성과를 낼 방법이요, 행복한 인생을 사는 비결이다.

머리 나쁜 사람은 암기하고,
머리 좋은 사람은 메모한다

예전에 베스트셀러 작가의 방을 방문한 적이 있었다. 한쪽 벽이 온통 메모지로 뒤덮여 있었다. 작품을 구상 중인데 영감이 떠오르면 때와 장소를 가리지 않고 메모지에 적어두었다가 붙여놓은 거라고 했다. 어떤 때는 꿈속에서도 영감이 떠오르기 때문에 머리맡에 메모지와 펜을 놓고 잔다고 했다.

"작품에 들어가기 전에 메모해놓은 내용을 정리해서 구성을 다시 짜요. 인물관계도를 그릴 때도 있고요. 단편은 줄거리만 간략하게 요약한 뒤 쓰기도 하지만 장편은 등장인물도 많고 여러 사건이 얽히다 보니 아무래도 세밀한 구성이 필요하죠."

만화가 허영만 씨도 꼼꼼하게 메모하기로 유명하다. 작정하고 취재를 가서 정보를 얻기도 하지만 일상 속의 발견, 문득 떠오르는 영감, 각종 직업인의 일하는 모습 등을 평상시에도 꾸준히 메모해놓는다. 수첩이 없어 냅킨에다 고추장으로 메모한 적도 있다고 하니, 메모를 얼마나 중시하는지 쉽게 짐작할 수 있다.

세계적 명연설가 힐러리 클린턴도 메모광이다. 그녀는 독서를 하거나, 친구들과 대화를 하거나, 신부님 강론을 듣다가도 마음에 와 닿는 문장, 격언, 성경 구절을 포착하면 수첩에다 즉시 옮겨 적어두었다가, 연설문을 작성할 때 적재적소에 배치한다.

다산 정약용도 둘째가라면 서러워할 메모광이다. 다산은 '서툰 기록일지라도 총명한 자의 기억보다 낫다'는 둔필승총(鈍筆勝聰)을 자주 언급하며 메모의 중요성을 강조했다. 메모지를 항상 품안에 넣고 다니며 독서를 하다가 깨달은 바가 있거나 영감이 떠오르면 그 즉시 기록했다.

과거에는 메모가 작가, 카피라이터, 저널리스트, 디자이너, 마케팅 디렉터, 경영컨설턴트 같은 창조적 직업을 가진 사람들의 전유물처럼 여겨졌다. 그러나 요즘은 CEO는 물론이고 평범한 직장인들도 메모를 중시한다. 지식정보화 시대로 접어들면서 아이디어의 가치가 그 어느 때보다 높아진 데다, 창의력을 갖춘 인재를 선호하는 경향이 뚜렷해졌기 때문이다.

인간은 망각의 동물이라는 말도 있듯이 인간의 뇌는 그다지 기억력이 좋지 않다. 에빙하우스의 '망각곡선이론'에 의하면 사람은 뭔가를 배우고 나서 한 시간이 지나면 50퍼센트, 하루가 지나면 60퍼센트, 일주일이 지나면 70퍼센트, 한 달이 지나면 80퍼센트 정도를 잊어버린다고 한다. 즉, 반복 학습만이 기억을 잘하는 비결이다.

특히 요즘처럼 변화의 속도가 빠른 과잉 정보 시대에는 뇌의 기

억력이 현저히 떨어질 수밖에 없다. 뇌는 컴퓨터처럼 수많은 정보를 처리한다. 완결된 사건은 즉시 처리가 가능하지만 미완의 사건은 계속 기억해두기 위해 많은 에너지를 소비한다. 예를 들어 훌륭한 영감이 떠올라서 그것을 잊어버리지 않기 위해서 계속 신경 쓴다면 뇌는 다른 일 처리를 소홀히 할 수밖에 없다. 그런데 떠오른 영감을 메모해놓는다면 뇌는 이내 잊어버리고 다른 일들을 척척 처리한다. 따라서 뇌를 효율적으로 사용하기 위해서라도 메모하는 습관을 길러야 한다.

대인관계를 할 때도 메모하는 습관은 빛을 발한다. 명함만 주고받으면 다음에 만났을 때 이름마저 기억하지 못할 수도 있다. 수첩에 언제 어디서 만나 무슨 이야기를 나눴는지 간략하게 메모해놓았다가, 다음번에 만날 때 메모 사항을 확인하고 나가면 이름을 기억하는 것은 물론이고, 상대방의 관심 분야를 화제로 끄집어내 쉽게 호감을 얻을 수 있다.

또한 영화를 보고 나서 감독, 배우, 등장인물의 이름, 가슴을 울린 대사, 줄거리, 감상평 등을 메모해두거나, 책을 읽고 나서 감명 깊은 문구를 적어두거나, 신문 사설 등을 읽고서 공감하는 문장을 적어놓았다가 대화 중에 적절히 활용하면 총명한 사람이라는 이미지를 심어줄 수 있다.

그뿐만 아니라 메모를 통해 목표를 분명히 하고 의지를 다질 수도 있다. 생각은 흐르는 물 같아서 잠깐만 한눈을 팔아도 엉뚱한 곳으로 흘러가버린다. 수첩에 목표를 정해두고 수시로 들여다보거나 직접 손으로 반복해서 쓰다 보면, 뇌는 구체적인 실천 방법을 찾을 수 있고, 점점 목표를 향해 다가가게 된다. '이렇게 단순한 방법이 과연 효과가 있을까?' 하고 회의하는 사람도 있겠지만 실제로 수많은 사람이 이런 방식으로 꿈을 이루었다.

요즘에는 스마트폰이 대세다. 스마트폰 앱 중에 '메모'도 있고, '노트'도 있고, '음성 녹음'도 있고, '카메라'도 있다. 수첩을 들고 다니며 펜으로 쓰기 번거롭다면 스마트폰 앱을 적절히 이용해서 메모하는 것도 좋은 방법이다.

한 가지 명심할 것은 메모는 반드시 정리해야 의미가 있다는 점이다. 정리하지 않고 방치해놓으면 싱싱한 채소를 창고에 쌓아둔 것과 별반 다르지 않다. 시간이 지나면 상해서 변질되고 만다. 하루 일과를 마칠 무렵이면 반드시 메모를 한눈에 파악할 수 있도록 정리하는 습관을 들여야 한다.

영국의 철학자이자 사상가인 프랜시스 베이컨도 메모의 중요성을 알고 있었다. 그는 사람들에게 이렇게 충고했다.

"느닷없이 떠오르는 생각이 가장 귀중한 것이며, 보관해야 할 가치가 있는 것이다. 그러니 메모하는 습관을 길러라."

우리가 일상 속에서 떠올리는 아이디어나 영감은 어찌 보면 인생의 정수라 할 수 있다. 무의식 속의 간절한 바람이 아이디어나 영감이라는 형태로 표출되는 것인데, 이를 붙잡아서 활용하지 못한다면 성공의 길은 요원할 수밖에 없다.

베이컨의 충고대로 지금 당장 메모하는 습관을 길러라. 보잘것없어 보이는 작은 습관이 성공이라는 거대한 문을 여는 열쇠가 될 것이다.

힘들고 어려워도
계속 걸어가라

　　직장생활을 하다 보면 누구나 퇴사하고 싶은 충동을 느낀다. 실제로 충동적으로 사직서를 낸 사람도 적지 않다. 2012년 취업 포털사이트가 직장인 746명을 대상으로 한 조사에 따르면, 495명(66.4퍼센트)이 이직 등과 같은 특별한 목적 없이 충동적으로 사표를 제출한 경험이 있었다.

　　회사란 다양한 이력을 지닌 사람들이 모여서 수익을 창출하는 곳이다. 여러 일들을 처리하다 보면 크고 작은 충돌이 일어나는데, 그 과정에서 누구나 한 번쯤은 퇴사의 강렬한 유혹을 느낀다. 많은 직장인이 아예 사직서를 책상 서랍에 넣어두고 있고, 어떤 사람은 아예 품안에 은장도처럼 품고 다니기도 한다.

　　퇴사는 남아 있는 사람의 눈에는 '용기 있는 일'처럼 비춰지기도 한다. 그러나 이상을 좇아서든 현실적 어려움 때문이든 간에 막상 퇴사를 하고 나면 열에 아홉은 후회한다. 퇴사란 직장을 그만두더라도 당장 해야 할 일이 있거나 이직 대비가 되었을 때나 해야지, 일단 저지르고 보자는 식으로 충동적으로 해서는 절대 안 된다.

사직서를 내는 것도 일종의 습관이다. 인사부에서는 경력 사원을 뽑을 때 그 사람의 발자취를 살펴보지 않을 수 없다. 합당한 이유도 없이 회사를 여러 곳 옮겨 다녔다는 사실은 '나는 인내력이 부족한 사람입니다. 귀사에 입사해도 언제 그만둘지 모릅니다!'라는 자기 고백과도 같다. 설령 경력이 뛰어나더라도 어떤 회사에서 이런 사람을 뽑겠는가.

직장생활에는 그림자처럼 크고 작은 고난이 따른다. 직장을 '제2의 고향'이라고 생각하는 긍정적 마인드의 소유자라고 한들 고난으로부터 자유로울 수는 없다. 끝없이 쌓이는 업무, 전신을 찍어 누르는 피로, 한 번 어긋난 인간관계로 인한 불편함, 인격을 무시하는 상사, 실적에 대한 과도한 압박, 동기들에 비해 뒤처진 승진, 대학 동창들보다 초라한 연봉, 갑자기 사라져버린 중요한 파일, 예상치 못한 대형 사고, 출처를 모르는 악성 루머, 믿었던 상사나 동료의 배신 등등······.

퇴사의 유혹도 다양하지만 대처 방법도 각양각색이다. 지갑이나 스마트폰 속에 들어 있는 가족사진을 보며 유혹을 뿌리치기도 하고, 각종 고지서나 할부금을 떠올리면서 몇 달만 더 참자고 스스로를 달래기도 한다. 격렬한 운동으로 땀을 흠뻑 흘리며 스트레스를 풀기도 하고, 친한 친구와 수다를 떨거나 술을 마시면서 기분 전환을 하기도 한다. 혹은 명상을 통해 마음의 위안을 얻기도 한다.

강렬한 유혹도 대개는 며칠 지나면 한풀 꺾인다. 그러나 가끔씩은 시간이 흐를수록 점점 더 심해지기도 한다. 그럴 때는 근본적인 해결책을 찾아야 한다.

가장 좋은 방법은 일을 사랑하는 것이다. 학교는 공부를 하는 곳이고, 회사는 일을 하는 곳이다. 학생에게 공부를 빼놓을 수 없듯이, 회사원에게 일을 빼놓을 수는 없다. 물론 일을 사랑한다는 게 말처럼 쉽지는 않다. '나는 왜 일을 하는가?'와 같은 근원적이고 철학적인 질문에 스스로 답을 찾아야 하기 때문이다.

직장인에게 왜 일하느냐고 물어보면 열에 대여섯은 '돈을 벌기 위해서'라고 대답하고, 열에 서넛은 '자아실현을 위해서'나 '원만한 사회생활을 위해서'라고 대답한다.

돈을 벌고 싶어 하는 욕망의 이면에는 크고 작은 꿈들이 숨어 있다. 원만한 사회생활을 하고 싶다는 것도 사실은 또 다른 꿈이다. 내 집을 장만한다는 것도 꿈이고, 아이들을 남 못지않게 교육시킨다는 것도 꿈이다. 결혼기념일에 아내와 함께 해외여행을 간다는 것도 꿈이고, 연말에 멋지게 차려입고 동창회에 참석한다는 것도 꿈이다.

우리가 일하는 이유는 바로 크고 작은 꿈들을 이루기 위해서다. 그런 꿈들을 꾸면서 사는 것도 나쁘지 않지만 이왕이면 좀 더 커다란 꿈을 가슴에 품고 살아가는 것은 어떨까. 내 분야에서 열 손가락 안에 꼽히는 전문가가 되겠다거나, '올해의 판매왕'이 되겠다거나, 퇴직하기 전에 사장이 되겠다는 꿈을 품는다면 일을 사랑하기가 한결 수월해질 것이다.

일을 통해 꿈을 이루어나간다고 마음먹으면 이겨내지 못할 어려움은 없다. 소극적으로 마지못해서 하는 것이 아니라 적극적으로 일에 매달리게 되고, 그동안 나를 집요하게 괴롭혔던 고난들은 피해야 할 것들이 아니라 뛰어넘어야 할 장애물로 다가온다.

지금 아무런 꿈도 없고 현재 상황이 견디기 힘들다 하더라도, 당장 사직서를 쓰지는 마라. 상황이 안 좋을 때 퇴사하는 건 현명한 판단이 아니다. 정 견디기 힘들다면 버틸 수 있는 최대한의 기한을 설정하라. 만약 그때도 상황이 개선되지 않는다면 미련 없이 사퇴하겠노라고 자신과 타협하라.

인간은 순간을 살아간다. 그렇다고 해서 지금 이 순간을 영원처럼 착각해서는 안 된다. 현재 상황이 너무 힘들어 한 치 앞이 보이지 않을지라도 순간은 순간일 뿐이다. 이 상황이 영원히 지속되지는 않는다. 아무리 긴 터널도 입구가 있으면 출구가 있게 마련이다. 혹독한 겨울도 언젠가는 끝이 난다.

물론 가끔 예외도 있다. 터널 출구가 붕괴되었을 수도 있고, 추위만 끝없이 이어지는 겨울왕국도 있다. 그럴 때는 끝까지 가보고 나서 돌아서거나, 일정한 시기를 견뎌본 뒤에 따뜻한 나라를 찾아 떠나는 게 현명하다. 주위가 칠흑 같다고 해서 몇 걸음 가보지도 않고서 출구가 없다고 단정 짓지 마라. 날이 갈수록 추워진다고 해서 봄은 영영 오지 않을 거라고 속단하지 마라.

미래는 예측 불가능하다. 상황은 수시로 변하고, 인간의 예상을 훌쩍 뛰어넘는다. 나의 경험에 의하면 고난은 그 당시에만 길게 느껴질 뿐 돌아보면 너무도 짧다.

고난은 직장생활뿐만 아니라 인생 전반에 걸쳐 찾아온다. 고난이 찾아왔을 때 쉽게 무릎 꿇는 사람은 제대로 된 인생을 살아갈 수 없다. 프랑스의 수학자이자 심리학자인 블레즈 파스칼은 "고민하면서 길을 찾는 사람, 그것이 참된 인간상이다"라고 했다.

산이 높으면 계곡이 깊게 마련이다. 고난이 찾아와도 걸음을 멈추지 말고 계속 가라! 고난을 통해 인간은 현명해지고 영혼은 한층 깊고 그윽해진다.

Chapter 4

일과 더불어
행복하게
살아가기

주도적인 삶을
살아라

　　　스스로 계획해서 살아가느냐, 운명이 이끄는 대로 그저 따라가며 살아가느냐에 따라 인생은 달라진다. 자기 주도적인 삶을 산 사람은 성취감도 높고, 만족도도 높고, 행복감도 높다. 반면, 운명에 순응하며 산 사람은 남의 인생을 대신 산 것처럼 돌아보면 왠지 아쉽고 허전하다.

　　삶의 격을 높이려면 자기 주도적인 인생을 살아야 한다. 환경이나 여러 조건에 종속되지 않고, 스스로 가능성을 열어놓고 환경과 조건의 변화를 이끌어가는 삶이야말로 가치 있는 인생이다.

　　주도적인 삶을 살기 위해서는 두 가지가 선행되어야 한다. 첫 번째는 인생을 어떻게 살아갈 것인지에 대한 나름대로의 철학 정립이다. 인생은 선택의 연속이다. 철학이 있어야만 한 번뿐인 인생, 후회 없는 선택을 하며 거침없이 나아갈 수 있다. 두 번째는 인생 목표 설정이다. 목표가 없는 인생은 자욱한 안개 속에서 길 잃은 여행자와 같다. 어디론가 가긴 가야겠는데 앞이 보이지 않으니 같은 자리만 하염없이 맴돌다가 인생을 마감할 뿐이다.

그렇다면 자기 주도적인 삶을 살기 위해서는 구체적으로 어떻게 행동해야 할까?

첫째, 일찍 일어나라.

일찍 일어나는 습관은 성공의 기본 조건이다. 일찍 일어나야 하루의 주도권을 쥘 수 있다. 하루의 주도권을 쥐면 한 달의 주도권을 쥐게 되고, 1년의 주도권을 쥐면, 평생의 주도권을 쥐게 된다.

우리는 하루 24시간이라는 자원을 똑같이 지급받는다. 우리에게 주어진 자원을 이용해서 원하는 인생을 살기 위해서는 시간을 먼저 장악해야 한다. 이른 기상이야말로 시간을 한손에 장악하는 비결이다. 일찍 일어나는 사람은 여유롭기 때문에 나머지 시간을 적절히 분배해서 사용할 수 있다. 그러나 늦잠을 자다 마지못해 일어난 사람은 시간에 쫓기기 때문에 나머지 시간을 챙길 여력이 없다.

둘째, 일을 장악하라.

같은 일을 해도 스스로 찾아서 하는 사람이 있는가 하면, 시키는 일만 받아서 하는 사람도 있다. 능동적으로 일을 기획하거나 찾아서 하는 사람은 일에 대한 성취감이 높다. 또한 자신의 일이라고 생각하기 때문에 좀 더 잘할 수 있는 방법을 모색하게 되고, 그 과정에서 창의력 등의 자기 능력을 발휘하게 된다. 반면, 시키는 일만 하는 사람은 마지못해 하기 때문에 업무 시간이 지겹다. 내 일이 아니기 때문에 최선을 다하지 않고, 문제점을 발견해도 번거로워질까 봐 외면한다.

셋째, 먼저 다가가라.

지인은 물론이고, 낯선 사람과의 만남일지라도 상대방이 인사하기를 기다리지 말고 먼저 적극적으로 다가가라. 사실 별것 아닌데도 먼저 인사하는 것과 상대의 인사를 받고 나서 뒤늦게 인사하는 것과는 심리적으로 많은 차이가 있다. 먼저 인사를 건넨 사람이 공간 자체를 장악하게 되기 때문에 대인관계에서도 유리하다.

평소 화답 차원에서 인사하는 습관을 지니고 있다면 지금부터라도 상대가 누구이든 먼저 인사하는 습관을 길러라. 작은 변화임에도 불구하고 인생 자체가 백팔십도 바뀔 수 있다.

넷째, 문제의 본질을 파악하라.

살아가다 마주치는 문제이든 업무 중에 발생한 문제이든 간에, 문제에 부딪히면 본질을 파악하는 습관을 길러라. 대다수 사람은 지레 겁을 집어먹고 누가 해야 할 일인지, 나의 잘못은 얼마나 되는지에만 관심을 기울인다. 그러다 보면 시시비비를 가리고 난 뒤에도 여전히 문제는 해결 안 된 채로 남아 있다.

문제에 부딪히면 곧바로 본질 파악에 집중하라. 본질을 파악하고 나면 나머지 주변 것들은 말끔히 해결된다. 누가 해야 할 일인지, 내 책임인지 공동의 책임인지 한눈에 알 수 있다.

다섯째, 결과에 책임져라.

도전을 두려워하는 심리 이면에는 자신의 선택으로 인한 결과의 후폭풍에 대한 두려움이 숨어 있다. 인간은 자신을 보호하려는 본능이 있어서, 자신이 선택한 일임에도 불구하고 잘못되면 남 탓으

로 돌리려는 경향이 있다. 그 순간은 모면할 수 있을지 몰라도, 변명하는 습관이 몸에 배면 선택 자체를 기피하게 된다. 신중히 선택하되, 결과가 어떻게 나오든지 간에 받아들이고 책임지는 습관을 길러야 한다. 그래야 자신이 선택한 일에 최선을 다하며 열정적인 삶을 살아갈 수 있다.

독일의 극작가이자 '살아남은 자의 슬픔'이라는 시의 저자로도 유명한 베르톨트 브레히트는 이렇게 말했다.

"당신 스스로가 하지 않으면 아무도 당신의 운명을 개선해주지 않을 것이다."

인간은 마음먹기에 따라 꽃이 되기도 하고, 새가 되기도 한다.

변화를 원한다면 꽃처럼 하염없이 기다릴 게 아니라, 새처럼 날개를 펴고 날아가라. 물론 몇 번의 오류는 겪겠지만 쉼 없이 날갯짓을 하다 보면 원하는 세계에 닿을 수 있을 것이다.

두 마리 토끼를
다 잡아라

　　2013년 10월, 해외 유명 만화사이트 '독하우스 다이어리(www.thedoghousediaries.com)'가 재미있는 세계 지도를 공개했다. 사람의 특징을 잡아 캐리커처를 그리듯이 각국의 특징을 잡아낸 이 지도를 보면 일본은 '로봇', 인도는 '영화', 중국은 '이산화탄소 배출과 신재생 에너지', 프랑스는 '관광', 스페인은 '코카인 사용', 남아공은 '타조', 남극은 '황제펭귄', 북한은 '검열'로 표시되어 있다. 그렇다면 한국은 어떻게 표시되어 있을까?

　　한국은 일 중독자를 일컫는 '워커홀릭(workaholics)'으로 표시되어 있다. 아마도 우리나라 근로자들의 근면성과 추진력, 집중력과 노력이 다른 나라 근로자들에 비해 뛰어나다는 평가 때문이리라.

　　'워커홀릭'은 '일(work)'과 '알코올 의존자(alcoholic)'의 합성어로, 1964년 에쏘(지금의 엑손모빌)의 컨설턴트로 고용된 휴스턴대학교의 교수이자 심리학자 리처드가 에쏘의 편집장과 인터뷰할 때 처음으로 사용하였다. 그 뒤 미국의 종교 학자이자 심리학자인 웨인 에드워드 오츠가 1971년 발표한 《워커홀릭의 고백》을 통해 대중에게 알려졌고, 1990년대 들어서 유행어처럼 사용되기 시작했다.

온라인 취업 포털사이트 '사람인'에서 2012년 7월에는 1,296명의 직장인을 대상으로, 2014년에는 1,023명의 직장인을 대상으로 '자신을 워커홀릭이라고 생각하십니까?'라는 설문 조사를 실시한 결과를 발표했다. 2012년 조사에서는 27.9퍼센트, 2014년 조사에서는 24.6퍼센트가 '그렇다'고 대답해서 워커홀릭이 조금은 줄어든 것으로 나타났다.

한국의 워커홀릭은 선진국의 워커홀릭과는 성격이 다르다. 업무 자체가 즐겁거나 업무를 통해 성취감이나 자존감을 높이려는 이유로 일에 빠져든 사람은 소수고, 사내 경쟁이 치열하고 일이 많다 보니 어쩔 수 없이 워커홀릭이 된 사람이 대다수다.

워커홀릭은 이혼 사유가 되기도 한다. 법정에 서면 남편은 가족을 위해 자신을 희생해가면서 밤낮없이 일했다고 주장하고, 아내는 가장의 의무인 가정의 행복을 등한시했다고 주장한다. 과연 누구 말이 맞는 걸까?

'두 마리 토끼를 잡으려다가는 하나도 못 잡는다'는 속담이 있다. 하나에 집중해야지 욕심을 부리다가는 한 마리도 잡지 못할 수 있다는 뜻이다. 그러나 한국에서 살려면 성공도 잡아야 하고, 행복도 잡아야 한다. 성공을 위해서 건강까지 해쳐가며 일한 대가로 이혼 통보를 받는다면 참으로 불행한 인생이 아닐 수 없다.

우리가 이분법에 익숙해 그렇지, 사실 성공과 행복은 두 마리 토끼가 아니다. 털과 고기처럼 하나다. 하나를 제대로 잡으면 다른 하나는 저절로 따라온다.

　성공과 행복을 동시에 잡으려면 마인드 자체를 바꿔야 한다. 많은 직장인이 '성공하면 행복해지겠지' 하고 정상만 보며 달려가는데, 사실 행복은 정상에 있지 않다. 물론 정상에도 있겠지만 산을 오르는 과정에 더 많은 행복이 자리잡고 있다. 정상만 보고 허겁지겁 산을 오르는 사람보다는 행복한 마음으로 산을 오르는 사람이 정상을 밟는다. 즉, 성공한 사람이 행복한 게 아니라 행복한 사람이 성공하는 법이다.

　자발적 워커홀릭이 아닌 과다한 업무로 인해 워커홀릭이 되었다

면 효율적인 업무에 대해 진지하게 고민해봐야 한다. 잦은 야근과 특근은 개인은 물론이고 기업 입장에서도 부담스러울 수밖에 없다. 같은 값이면 다홍치마라고 법정 근로 시간 안에서 업무를 처리할 수만 있다면 기업에서도 마다할 이유가 없다.

효율적으로 업무를 처리하려면 네 가지를 명심해야 한다.

첫째, 업무는 심플하게 처리하라.

너무 잘하려다 보면 욕심이 생겨서, 쓸데없는 자료까지 서류화한다. 결국 나중에 군더더기를 제거하느라 일하는 시간만 늘어난다. 먼저 업무를 심플하게 처리하는 방법을 연구한 뒤 일을 시작하라.

둘째, 중요한 일만 하라.

해야 할 일을 중요도에 따라 순서대로 번호를 매긴 다음, 우선순위의 일만 처리하라. 업무량이 과다하다고 느낄 때면 후순위의 일들을 과감히 폐기 처분하라. 만약 새로운 일이 들어오면 중요도에 따라 중간에 집어넣은 뒤, 후순위의 일 하나를 즉석에서 폐기 처분하라. 전체적인 업무량이 한눈에 들어오면 업무 능률도 오르고 마음도 한결 가벼워진다.

셋째, 업무 시간에 최대한 집중하라.

근무 시간은 한정되어 있다. 출근해서 딴청을 피우면 반드시 야근이나 연장 근무를 하게 되어 있다.

넷째, 일을 시작할 때는 마감 시한을 정하라.

인간은 심리상 시간적 여유가 있으면 딴짓을 하게 되어 있다. 나의 능력과 업무 환경을 감안해서 일에 쫓기거나 느슨해지지 않도록 마감 시한을 정하라. 효율적인 업무 처리로 회사 일은 줄여나가고,

배우자와의 대화는 계속 늘려나가라. 강물은 강수량이 부족하면 갈라지지만 부부는 대화가 부족하면 갈라선다. 내가 일에 중독되어서 열심히 일하는 게 아니라 가정의 행복을 위해서 일하고 있다는 걸 배우자에게 충분히 설명할 필요가 있다. 대개 부부로서 말하지 않아도 배우자가 그 정도쯤은 알아줄 거라고 착각하는데, 말하지 않으면 절대 모른다.

첨단 IT 산업의 발달로 글로벌화가 빠르게 진행되고 있다. 한국의 업무 환경도 점차 바뀌고 있으니 OECD 국가의 표준 근로 시간을 따를 날도 멀지 않았다. 물론 아직까지는 시간이 필요한 실정이다. 회사에서의 입지나 성공도 중요하지만 가정의 행복도 그에 못지않게 중요하다. 한쪽을 포기하지 말고 둘 다 잡을 수 있도록 노력해야 한다. 거듭 강조하지만 가정이 행복해야 회사에서의 입지도 높아지고 성공도 할 수 있다.

미국의 35대 대통령 존 F. 케네디는 이렇게 말했다.

"우리의 문제는 인간이 만든 문제이므로 인간에 의해서 해결될 수 있습니다. 그리고 인간은 원하는 만큼 꿈을 펼칠 수 있습니다. 인간이 벗어나지 못할 운명의 굴레는 없습니다."

비록 지금 이 순간이 고통스럽고 힘겹게 느껴질지라도 오래가지는 않는다. 슬기롭게 이 순간을 넘기고 나면 꿈을 펼칠 그날이 반드시 다가온다. 성공과 행복, 그 어느 것도 포기하지 마라. 그것들은 마땅히 열심히 일하는 자에게 주어질 선물이다.

가치를
발견하라

영화 〈에브리바디스 파인〉에는 로버트 드니로가 주인공 프랭크 구드로 출연한다. 8개월 전 아내를 저세상으로 보내고 한적한 마을에서 홀로 사는 프랭크는 모처럼 만날 아이들을 생각하며 흥에 겨워서 주말 파티를 준비한다. 그러나 도시에 흩어져 살고 있는 네 명의 자식들에게서 올 수 없다는 소식이 차례대로 들려온다.

프랭크는 폐가 안 좋지만 의사의 만류에도 불구하고 자식들을 찾아나선다. 달리는 기차에서 길게 이어진 전선줄을 보던 그는 뭘 보느냐고 묻는 옆자리의 승객에게 평생 PVC 코팅을 입혀서 전화선을 만드는 일을 해왔노라고 고백한다. 기쁜 소식도, 나쁜 소식도 자신이 만든 전화선을 통해 오간다면서 지갑 속 아이들의 사진을 보여준다. 네 아이의 이름과 직업을 차례대로 말하는 그의 표정에는 자식을 자랑스러워하는 부정이 고스란히 담겨 있다.

프랭크의 직업은 전선 피복을 입히는 일이었다. PVC를 코팅하는 과정에서 증기를 많이 쐬는 바람에 폐섬유증을 앓고 있지만 그는 자신의 직업에 대한 긍지를 갖고 있다. 짧은 대화를 통해 그가 자신의 일에서 가치를 발견했고, 사명감을 갖고 열심히 일했으며, 그렇게 번 돈으로 아이들을 키웠으리라는 것을 짐작할 수 있다.

세상에는 수많은 직업이 있다. 그중 가치 없는 직업은 없다. 그러나 직업을 대하는 태도는 제각각이다. 똑같은 직업, 똑같은 환경일지라도 감사해하며 일하는 사람이 있는가 하면 온갖 저주와 욕설을 퍼부으면서 일하는 사람도 있다.

상사에게 지시받은 일을 무작정 하기보다는 한 번쯤은 내가 하는 일의 가치에 대해 곰곰이 생각해볼 필요가 있다. 일의 가치를 발견하면 사명감을 지닐 수 있다. 사명감을 지니면 일 자체가 즐거워진다.

150년 전통의 루이뷔통은 자신들의 가방을 '인생 여행의 동반자'라고 명명하였다. 직원들은 단순히 가방을 만드는 일을 하는 게 아니라 사람들에게 인생 여행의 동반자를 붙여주는 일을 하는 셈이다. 사명감은 세계적인 기업만 갖는 것은 아니다. 예전에 살던 동네의 세탁소 주인은 항상 웃는 얼굴에 인사성도 밝았는데 그 역시 사명감을 갖고 있었다. 그의 사명감은 '구김 없고, 얼룩 없는 깨끗한 세상을 만드는 것'이었다.

어떤 조직이든 일의 가치를 발견하면 그에 걸맞은 사명감을 만들 수 있다. 일의 가치는 경제적 이유, 사회적 이유, 자아 성취를 위

한 이유와 연결되어 있다. 또한 자본주의 사회에서 일의 가치는 돈
으로 환산되게 마련이다. 그렇다고 해서 돈을 벌기 위한 경제적 이
유에만 돋보기를 들이대서는 일의 가치를 발견할 수 없다. 환자의
불치병을 치료해주는 의사라도 단지 수익이 높다는 이유만으로 그
일을 하고 있다면, 일에 대해 제대로 된 평가를 내릴 수도 없고 일
의 가치 또한 발견할 수 없다. 일의 가치를 제대로 평가하고 발견하
려면 경제적 이유와 함께 사회적 이유, 자아 성취를 위한 이유도 찾
아보아야 한다.

　일에 대한 가치는 혼자서도 찾을 수 있다. 그러나 여러 사람이
마음을 열고 토론하면 좀 더 쉽게 찾을 수 있다. 일의 가치를 발견
했다면 한 줄로 간략하게 사명감을 만드는 게 좋다. 사명감이 생기

면 직업에 대한 긍지가 생겨, 인생에 회의감이 들 때마다 수시로 밀려드는 '내가 왜 이 일을 하고 있는 거지?'라는 의문에서 해방될 수 있다.

사명감은 우리가 현재 하고 있는 일에 대한 참된 가치이며 미래에도 계속 지켜나가야 할 가치이다. 사명감을 찾았다면 루이뷔통처럼 하나의 사명감을 전 직원이 공유해도 좋고, 부서별로 분야에 맞게끔 일에 대한 가치를 재해석한 뒤 세분화해도 무방하다. 루이뷔통의 사명감을 예를 들어 세분화해본다면, 가죽을 만드는 부서는 '세찬 비바람과 한파에도 변하지 않는 인생 여행의 동반자를 위하여'라는 사명감을 지닐 수 있고, 가죽을 덧대 박음질을 하는 부서는 '인생 여행의 동반자와의 오랜 우정을 위하여'라는 사명감을 지닐 수 있다.

사명감은 세탁소 주인의 경우처럼 굳이 조직 차원이 아니라도 혼자서도 충분히 지닐 수 있다. 〈생활의 달인〉이라는 TV 프로그램을 보면 사명감을 지닌 달인들을 어렵지 않게 만나볼 수 있다. 오랜 세월 반복되는 노동 속에서도 지치지 않고 일할 수 있는 이유는 단순히 생계를 위해서가 아니라, '사명감'이라는 타오르는 횃불로 일에 대한 부정적인 생각들을 몰아내고 있기 때문이다.

인간이 일을 하는 이유는 1차적으로는 '먹고살기 위해서'지만 좀 더 깊이 파고들면 가치 있는 인생을 살기 위해서다. 일의 가치를 발견하면 사명감을 갖게 되고, 사명감을 갖게 되면 자존감이 살아나고, 자존감이 살아나면 일에 혼이 실린다. 비로소 장인의 경지에 이르는 것이다.

정치가, 과학자, 외교관, 사상가, 저술가로 다양한 분야에서 업적을 남긴 벤저민 프랭클린은 "일을 몰고 가라. 그렇지 않으면 일이 너를 몰고 갈 것이다"라고 경고했다. 제대로 일하기 위해서는 일에 먹히는 게 아니라 일을 장악해야 한다. 어차피 회사에 나가서 똑같은 시간 일할 것, 혼이 실린 일을 하라! 처음에는 다른 사람이 한 일과 별반 차이 없어 보이지만 시간이 지나면 지날수록 점점 빛이 나게 되어 있다. 더 늦기 전에 일의 가치를 발견하라!

전문가가
되어라

　　　　　세계 경제의 침체로 기업의 생존 경쟁도 치열해졌고, 직장 안에서 사원들의 경쟁 또한 치열해졌다. 산업 구조의 개편과 굴뚝 산업의 침체로 일자리가 줄어들면서, 단군 이래 최고의 스펙을 보유했다는 청년들이 전례 없는 취업난을 겪고 있다.

　한 치 앞도 예측할 수 없을 정도로 어려운 상황이지만 이 와중에서도 여전히 빛을 발하는 사람들이 있다. 바로 전문가다. 기업은 곧바로 실무에 투입할 다양한 분야의 전문가를 원한다. 거기다 전문 지식인이 필요한 IT 산업은 계속 발달하고 있으니, 전문가 전성 시대라 해도 과언이 아니다.

　회사는 다양한 분야의 전문가를 필요로 한다. 물론 대기업이 원하는 인재와 중소기업이 원하는 인재상은 다르다. 대기업은 여러 일을 잘하는 멀티플레이어보다는 한 분야에서 특출한 재능을 지닌 전문가를 원한다. 반면, 중소기업에서는 멀티플레이어를 원한다. 대기업과 달리 많은 인력을 쓸 여력이 안 되기 때문이다.

경제가 침체되고 상황이 어려워지면 기업에서 제일 먼저 생각하는 것이 원가절감이다. 구매비를 비롯한 모든 예산이 삭감되고, 인건비를 줄이기 위한 구조조정이 이루어진다. 기업은 한 부서에 일처리 수준이 비슷한 직원이 두 명 있는 것보다는 확실하게 일을 처리할 능력 있는 전문가 한 명을 원한다. 따라서 구조조정이 끝나도 각 분야의 전문가들은 살아남는다.

기업에서 전문가를 원하는 이유는 크게 세 가지다.

첫째, 빠르게 일을 추진할 수 있는 인재가 필요하기 때문이다.

전문가가 없는 집단은 일하는 시간보다 회의하는 시간이 많다. 어떻게 문제를 해결해야 할지 전례도 모르고 방법도 모르기 때문이다. 전문가가 있으면 그에게 일을 전임하거나 그의 의견을 따르는 것으로 문제는 간단히 해결된다. 따라서 일하는 시간을 절약할 수 있다.

둘째, 전문가로부터 혁신을 할 수 있기 때문이다.

전문가가 되기 위해서는 반드시 갖춰야 할 기본 소양이 있다. 예를 들어 안드로이드 애플리케이션을 개발하려면 자바와 안드로이드부터 공부해야 한다. 그 과정은 다른 전문가들이 겪었던 과정과 크게 다르지 않다. 전문가가 되기 전까지의 세계는 경쟁이 치열한 레드오션이라 할 수 있다. 오랜 공부와 연구 끝에 전문가 소리를 듣는 경지에 이르면 그 지식을 바탕으로 차별화 또는 발상의 전환을 통한 퍼플오션 창조가 가능하다. 운이 좋다면 별다른 경쟁 없이 수익을 챙길 블루오션을 발견할 수도 있다.

셋째, 정보화 시대로 인해 '승자 독식'이 심화되었기 때문이다.

1등이 명예와 부를 모두 차지하는 승자 독식은 정보를 주고받는 속도가 빨라지면서 한층 심화되었다. 국경이 허물어지고, 교통수단의 발달로 운송이 발달하고, FTA로 관세가 낮아지면서, 1등 자리를 차지하기 위한 기업 간의 경쟁이 날로 치열해지고 있다. 제품 경쟁은 인재 영입 경쟁으로 이어져 뛰어난 인재라면 국적과 인종마저 불문할 정도다.

아직 늦지 않았다. 지금이라도 전문가에 도전하라. 전문가라고 해서 거창하게 생각할 필요는 없다. 꿈과 열정을 갖고 자신의 적성과 강점을 꾸준히 살려나가면 누구나 전문가가 될 수 있다. 물론 자

격증이 있는 전문가도 있지만 반드시 자격증이 있어야만 하는 것은 아니다. 자신이 맡은 일에서 탁월한 성취를 이루면 회사에서는 전문가로 인정한다. 진입 장벽이 높고, 경쟁사에서 탐낼 정도의 전문가라면 몸값이 달라진다.

만약 업무에 특출한 능력이 없다면 탁월한 소통 능력을 지니기 위해 노력하라. 소통하는 게 당연한 세상인데도 소통 능력이 부족한 사람들이 여전히 많다. 그러다 보니 조직 안팎으로 소통 능력이 뛰어난 사람을 전문가로 인정한다. 소통 능력을 지닌 사람들은 대개 승진이 빠르다. 인사 역시 인간이 처리하는 일인 데다, 사람을 다루는 능력이 뛰어난 사람이 리더가 되어야 제 능력을 한껏 발휘할 수 있기 때문이다.

정보화 시대의 전문가는 산업화 시대의 전문가와는 최소한 세 가지는 달라야 한다.

첫째, 전문 지식을 수시로 업데이트해야 한다.

산업화 시대의 전문가는 한 번 지식을 쌓으면 평생 써먹을 수 있었다. 그러나 정보화 시대에는 새로운 지식이 계속 쏟아지기 때문에 수시로 업데이트를 해야 한다. 자칫 방심하다가는 '전문가'가 아닌 '전문가인 체하는 전문가'로 전락하고 만다.

둘째, 폐쇄형이 아닌 개방형 마인드를 지녀야 한다.

과거의 전문가는 자신에게 주어진 일만 잘 처리하면 됐다. 그러나 정보화 시대의 전문가는, 소비자는 물론이고 다른 분야의 전문가와도 소통할 줄 알아야 한다. 과거와는 달리 전문 지식을 연계해서 사용해야 할 일들이 계속 늘어나고 있기 때문이다.

셋째, 다양한 체험을 해야 한다.

인간은 보는 것만큼 알고, 아는 것만큼 행하게 마련이다. 인간이 가장 저지르기 쉬운 오류 중 하나가 '가용성 편향'이다. 가용성 편향은 '자신의 경험 내지는 익숙해서 쉽게 떠올릴 수 있는 것들을 기반으로 세계에 대한 이미지를 만드는 것'을 말한다. 업그레이드하지 않은 전문 지식을 갖고 있거나 체험이 부족하다 보면 가용성 편향으로 인해 실수를 저지르게 마련이다.

전문가는 누구나 노력하면 될 수 있다. 로마 시대 때의 풍류 시인 푸블릴리우스 시루스는 "시도해보지 않고는 누구도 자신이 얼마만큼 해낼 수 있는지 알지 못한다"고 말했다.

아직 늦지 않았다. 나의 적성과 강점을 곰곰이 생각해본 뒤, 나의 능력 그 한계점까지 도전해보라. 전문가로의 변신은 불확실한 세상을 가장 확실하게 살아가는 방법 중 하나이다.

타성에
젖지 마라

변화의 속도가 빨라지면서 기업의 수명 또한 점점 짧아지고 있다. 미국의 경제지 〈포춘〉에서 1990년에 선정한 미국 500대 기업 중 2010년까지 500대 기업으로 남아 있는 곳은 121개사에 불과했다. 놀랍게도 75퍼센트가 500대 기업에서 탈락한 것이다.

맥킨지 보고서를 보더라도 1935년 기업의 평균수명은 90년에 달했으나 1995년에는 22년으로 단축되었으며, 2015년에는 15년으로 줄어들 것으로 전망하고 있다. 수명의 빠른 단축은 한국 기업 또한 예외가 아니다. 2011년 대한상공회의소 보고서에 의하면 국내 대기업의 평균수명은 29.1년, 중소제조업의 평균수명은 12.3년에 불과하다. 중소기업은 차치하고, 지금 한창 잘나가는 대기업도 30년 뒤에는 생존 여부조차 알 수 없다는 뜻이다.

런던경영대학원의 교수 도널드 설은 한때 크게 성공했던 기업들이 시간이 지나면 실패하는 이유에 대해 '활동적 타성(Active Inertia)'에 젖어 있기 때문이라고 말했다. 시장 상황이 급변하고 있음에도 불구하고, 오히려 한창 잘나갈 때 했던 활동을 가속화하려는 기업의 일반적 성향이 문제 해결을 어렵게 만들어 곤경에 빠뜨린다는 논리다.

하버드대학교의 교수이자 심리학자인 엘렌 랭거는 '성공 함정(Success Trap)'이라는 개념을 제시하면서, 과거의 성공전략이나 경험에 집착하면 시장의 변화를 따라가지 못해서 결국은 망하게 된다고 충고했다. 기업을 일으켜 세웠던 전략과 경험이 오히려 발목을 잡아서, 성공 신화를 썼던 기업을 무너뜨릴 수도 있다는 뜻이다. 제너럴일렉트릭의 회장으로서 뛰어난 경영 능력을 보여줬던 잭 웰치 역시 변화를 두려워하는 기업은 위험하다고 강조했다.

안전하다고 판단한 나머지 타성에 젖어서 도전을 두려워하면, 마치 세월이 흘러 쇠에 녹이 슬듯이 위기가 찾아온다. 기업이 타성에 젖지 않으려면 조직원들이 창의력을 한껏 발휘할 수 있는 기업문화를 조성해야 한다. 새로운 실험이나 도전을 정책적으로 장려하고, 조직원들이 실패를 두려워하지 않도록 제도적 장치를 마련해야 한다. 이탈리아의 주방·생활용품 브랜드 알레시에는 최선을 다했지만 실패했던 제품을 한곳에 모아놓은 '실패기념관'이 세워져 있다. 직원들은 실패기념관에서 차도 마시고 미팅도 하면서 실패 원인을 수시로 분석한다. 실패를 실패가 아닌, 성공을 향해 달려가는 아름다운 도전으로 받아들이고 있기에 가능한 일이다.

한국 기업도 타성에 젖지 않기 위해 기업 차원에서 혁신을 꾀하고는 있다. 그러나 전반적인 기업 문화는 책임과 권한을 부여하는 대신 성과로 말하라는 분위기라서, 실패는 실패일 뿐 아름다운 도전이 될 수 없다. 그래서 여전히 도전을 회피하려는 의식이 지배적이고, 조직원들은 쉽게 타성에 젖는다.

기업에서 매뉴얼로 정해진 일들은 한때 잘나가던 성공의 결과물이다. 그러나 시대가 바뀌면 매뉴얼도 바뀌어야 한다. 현장에서 일하다 보면 그 사실을 깨닫지만 아무도 의문을 제기하지 않는다. 행여 의문을 제기했다가 책임을 져야 하는 상황에 놓일까 봐 매뉴얼대로 일을 처리한다. 매뉴얼대로만 처리하면 적어도 문책은 당하지 않기 때문이다. 그렇게 몇 개월이 지나면 타성에 젖고, 후임자가 의문을 제기해도 매뉴얼대로 일을 처리하라고 권하게 마련이다.

타성에 젖으면 눈이 멀어서, 합리적으로 해결할 수 있는 새로운 방법을 발견해도 애써 외면하게 된다. 개인은 물론이고, 회사로서도 불행한 일이 아닐 수 없다.

정보화 시대에는 기업의 수명도 짧지만 지식의 수명도 짧다. 제대로 된 직장인이라면 따끈따끈한 매뉴얼이 본사에서 내려왔다 해도 더 나은 방법이 없나 수시로 고민해야 한다.

'왜 이렇게 하지? 시간도 많이 걸리고 비합리적인 방법 같은데?'

뇌는 물음을 던져야만 답을 찾으려고 노력한다. 방치해놓으면 불나방처럼 쓸모없는 호기심을 쫓아다니며 시간만 하염없이 낭비할 뿐이다. 성공적인 직장생활을 하려면 타성에 젖어서는 안 된다. 회사가 안정적일 때 위험을 무릅쓰고 도전해서, 능력을 인정받아야 한다. 시키는 일만 하는 회사원은 회사가 위기에 빠지면 제일 먼저 방출된다.

《저커버그처럼 생각하라》의 저자 예카테리나 월터는 타성에 젖지 않는 방법으로 네 가지를 권한다.

하나, 시야를 가리고 있던 안개를 걷어내고 이쪽저쪽을 살펴라.

일이 어떻게 진행되고 있는 건지 질문하지 않으면 결말은 빤하다. 이미 오래전에 생명력이 다한 가정을 내놓을 것이고, 모순으로 가득 찬 결론을 도출해낼 것이다. 매일매일 어떤 이슈가 있는지 파악하라. 주관에 사로잡히지 말고 다른 사람의 관점에서 파악하라. 대개는 외면하고 싶어 하는 질문을 던져라. 그래야 일이 걷잡을 수 없을 만큼 잘못되기 전에 바로잡을 수 있다.

둘, 의식적으로 약간 불편하게 살아라.

인간은 본성적으로 편안하고 안전한 삶을 원한다. 그러나 진전은 안전한 방법을 택할 때가 아니라, 가장 효율적이고 가장 필요한 방법을 따를 때 일어난다. 혁신할 방법을 찾아내고 그에 따라서 행동하라. 그냥 둬도 아무 문제없는 일을 굳이 바꾸려 하면 불편함이 뒤따르게 마련이다. 그러한 불편함을 감수할 때 혁신할 수 있다.

셋, 허락을 구하는 대신 일단 저질러라. 그다음에 용서를 구하라.

회사나 상사가 변화하는 게 낫다고 생각하는 시점은 이미 변화가 일어난 뒤에야 찾아온다. 물론 그 변화는 회사의 허락 없이 일어난 일이다.

넷, 작은 것부터 시작하라.

때로는 커다란 변화는 작은 것에서부터 시작된다. 혁신가가 되길 두려워하는 사람들은 자신의 행동이 회사에 큰 피해를 줄지도 모른다고 생각한다. 하지만 작은 변화로 회사가 타격받는 일은 없다. 회사에 피해를 줄지도 모른다는 두려움이 들면 일단, 작은 것부터 시작하면 된다.

스티브 잡스는, 혁신은 리더와 추종자를 구분하는 잣대라고 말했다. 성공하는 직장인, 일과 더불어 사는 행복한 직장인이 되려면 자신의 일에 대해서만큼은 추종자가 아닌 리더가 되어야 한다. 일에 길들여지면 의욕도 떨어지고 자존감도 추락한다. 리더로서 통제하고 혁신할 때 비로소 일하는 보람을 만끽할 수 있다.

혼자서
일하지 마라

　　　　　서양은 내향적인 사람의 삶을 존중하면서도 외향
적인 사람을 좀 더 건강한 사람이라고 생각하는 경향이 있다. 그렇
다면 외향적인 사람과 내향적인 사람의 비율은 얼마나 될까? 노터
데임대학교의 성격심리학자 데이비드 왓슨은 전체의 70퍼센트가
외향성과 내향성의 중간 그룹에 위치하고 있고, 양쪽 극단에 각각
15퍼센트씩 위치하고 있다고 분석했다.

　한국인은 서구에 비해 내향적인 성격을 지닌 사람의 비율이 높
은 편이다. 사회 분위기가 동적인 것보다는 정적인 것을 추구하는
유교 영향도 있고, 토론이나 팀 프로젝트보다는 암기 위주의 교육
때문이기도 하다. 2004년 한국심리연구소가 성격유형 선호지표인
'마이어스-브릭스 유형지표(MBTI)'에 따라 10만 2,989명을 분석한
자료에 의하면, 한국인의 경우 내향적 성격이 60퍼센트, 외향적 성

격이 40퍼센트를 차지하는 것으로 나타났다.

얼핏 생각하면 활동성이 강한 외향적 성격의 성공 비율이 높을 것 같지만 사회적으로 성공한 사람의 비율을 보면 내향적인 성격이 더 많다. 꼼꼼한 데다 자기 성찰의 시간을 많이 갖기 때문이다. 버락 오바마, 스티븐 스필버그, 워런 버핏, 조앤 롤링 등은 내향적인 성격의 소유자다. 내향적인 성격은 세심한 데다 섬세해서 특히 IT 분야에서 많은 성공을 거두었다. 그렇다고 해서 그들이 혼자서 일한 것은 아니었다. 빌 게이츠는 폴 앨런과 마이크로 소프트를 세웠고, 스티브 잡스는 스티브 워즈니악, 로널드 웨인과 함께 애플을 공동 창업했다. 그들은 자신들의 장단점을 알고 있었기에 협력을 통해 내향적인 성격이 지닌 단점을 보완하려고 노력했다.

생태계를 보더라도 혼자보다는 여럿이 함께할 때 생존에 유리하다. 그래서 철새들은 무리지어 이동하고, 먹이사슬 중 최상위인 사자는 떼를 지어 사냥하고, 바닷속 돌고래는 함께 몰려다닌다. 혼자보다는 여럿이 지혜와 힘을 합칠 때 생존에 유리하다는 사실을 진화 과정을 통해 깨달았기 때문이다.

구글의 CEO 에릭 슈미트의 저서 《구글은 어떻게 일하는가》에는 '혼자 일하기 좋아하는 사람은 채용하지 말고, 동료들에게 영감을 주며 일할 사람을 채용하라'고 적혀 있다. 아무래도 혼자서 일하다 보면 주관이 개입되어 내가 일을 잘해나가고 있는지 객관적으로 판단하기 어렵다. 심각한 오류를 범하고 있는데도 스스로를 합리화하거나 잘못을 감추려다 보면 영영 돌이킬 수 없는 잘못을 저지르게 된다. 따라서 기업에서도 혼자 일하는 사람을 선호하지 않는다.

설령 혼자 일하기 좋아하는 전문가를 채용한다고 해도 절대로 많은 권한을 부여하지 않는다.

사회적인 성공은 소통과 협력 속에서 이루어진다. 큰일을 해내고 싶다면 조직의 능력을 지렛대처럼 이용할 줄 알아야 한다. 오랜 세월 조직에 몸담으며 일해온 임원 중 혼자인 사람은 거의 없다. 그들은 상하좌우로 끈끈한 인맥을 유지하고 있다. 그 인맥이 그를 지금의 자리에 있게 했다고 해도 과언이 아니다.

인간은 오랜 세월 동안 공동체생활을 해왔다. 우리의 몸에는 공동체생활에 슬기롭게 적응할 유전자가 숨어 있다. 내향적인 사람이라도 마음만 먹으면 협력을 통해 높은 성과를 낼 수 있다. 그러기 위해서는 산업화 시대를 살아오면서 익숙해진 '제로섬 게임'의 논리에서 벗어나야 한다. 정보화 시대에는 함께 일한다고 해서 나의 몫이 줄어들지 않는다. 오히려 모든 걸 공개하고, 나누면 나눌수록 더 많은 이익을 창출할 수 있다.

먼저 나의 인간관계를 냉정하게 분석해보라. 동료 한두 명과는 친한데 믿을 만한 상사나 부하 직원이 없다면 혼자 일하는 스타일이다. 더 늦기 전에 스타일의 변화를 꾀해야만 정보화 시대에서 살아남을 수 있다.

혼자 일하는 스타일에서 벗어나고 싶다면 다음 여섯 가지를 명심하라.

하나, 멘토를 만들어라.

일을 하다 모르는 것이 있으면 끙끙대며 혼자서 해결하려고 하지 말고, 상사를 찾아가 솔직하게 도와달라고 요청하라. 업무를 대신 해달라고 하면 질색하겠지만 전체적인 진행 방향이나 해결 방법을 가르쳐주는 것쯤은 기꺼이 도와준다. 처음 관계를 맺기가 힘들지, 멘토를 만들어놓으면 회사생활이 한결 부드러워진다.

둘, 나의 허점을 드러내기를 두려워하지 마라.

비록 회사 동료일지라도 공적인 대화보다는 사적인 대화가 친밀감을 높여준다. 사람과 사람 사이에는 눈에 보이지 않는 울타리가 처져 있다. 나의 허점이나 약점을 고백하면 경계심이 허물어지고, 비로소 울타리가 치워진다. 심리학에서는 이를 '자기노출'이라고 하는데, 자기노출을 하게 되면 뭔가 보답해야 한다는 심리가 작용해서 친밀도가 높아진다.

셋, 솔직해져라.

일이 잘못되면 인사고과에 불이익을 받을까 봐 감추거나 거짓말을 하고 싶은 충동을 느낀다. 기업의 입장에서는 일을 잘못한 직원을 처벌하는 건 그리 중요하지 않다. 잘못된 일을 바로잡는 게 급선무다. 실수나 잘못을 신속히 고백할수록 기업의 입장에서는 유리하다. 중요한 일일수록 상사에게 자주 보고하고, 일이 잘못되면 감추지 말고 솔직하게 털어놓아야 한다.

넷, 함께 나눠라.

조직에서는 겸손한 사원이 인기 있게 마련이다. 혼자서 일하는 직원은 왠지 모르게 도도해 보인다. 어쩔 수 없이 혼자 수행해야 하는 프로젝트일지라도 공을 세웠다면 그 공로를 팀원들과 함께 나눌 필요가 있다.

다섯, 도움을 줄 때는 확실하게 줘라.

조직의 도움을 받으며 일을 해야 하지만 때로는 조직을 위해 헌신할 줄도 알아야 한다. 엘리트는 도움을 요청하기보다 스스로 해결하려는 경향이 강하다. 만약 누군가 도움을 요청했다면 확실하게 도와줘라. 어설프게 도와주면 생색도 나지 않을뿐더러 도움을 받은 사람도 고마워하지 않는다. 헌신적으로 도와주면 단지 한 사람을 도왔을 뿐인데도 조직원 전체가 도움받은 것처럼 흐뭇해한다.

여섯, 마음속으로라도 비난하지 마라.

동료들과 함께 일하다 보면 일이 잘못될 수도 있다. 행여 그렇더라도 잘못된 일을 바로잡는 데 초점을 맞추어야 한다. 비난하지 마라. 눈빛은 물론이고 마음속으로라도 동료를 비난해서는 안 된다. 인간은 자신과 관련된 부분에 대해서는 지나칠 정도로 예민하다. 호흡, 침묵, 흐르는 공기만으로도 다른 사람의 생각이나 기분을 느낄 수 있다.

함께 일한다는 것은 동시대를 함께 살아간다는 의미다. 실존주의 철학의 창시자 키르케고르는 "행복의 90퍼센트는 인간관계에 달려 있다"고 하였다. 사회생활에서 인간관계는 아무리 강조해도 지나치지 않다. 훗날 나의 자리는 내 곁에 있는 사람에 의해 결정된다. 함께 일한다는 것은 인간관계를 맺을 수 있는 좋은 기회이니, 그 기회를 절대로 놓치지 마라.

얼리어답터 정신으로
살아라

신제품이 출시되면 제일 먼저 달려가 제품을 구입
하는 소비자를 '얼리어답터(Early Adopter)'라 부른다. '빠르게 채택
하는 사람'이라는 뜻으로 1957년 처음 등장한 이 용어는 미국의 경
제학자 에버릿 로저스가 1962년에 출간한 《혁신의 확산》에서 다시
등장하였다. 그러나 정작 언론의 관심을 끌기 시작한 것은 첨단 하
이테크 기기가 쏟아지기 시작한 1995년 이후였다.

얼리어답터는 개발자가 새로운 제품을 시장에 출시하면 제일 먼
저 구매하는 소비군으로, 소속 집단에서 존경을 받으며 온라인과
오프라인에서 정보를 제공 및 공유하기 때문에 제품 판매에 상당한
영향력을 지닌다. 따라서 몇몇 기업은 완성도 높은 제품을 출시하
기 위해 신제품 개발 과정부터 얼리어답터를 참여시키기도 한다.

인터넷과 첨단 기기의 보급으로 기술의 발전 속도가 나날이 빨

라지고 있다. 특히 IT 기술은 그 수명이 5~6일에 불과하다는 푸념까지 나돌 정도다. 이런 시대에 얼리어답터로 살아가기 위해서는 적잖은 제품 구매 비용이 들기 때문에 직장인에게 굳이 권하고 싶지는 않다. 얼리어답터로 살아가는 것도 피곤한 노릇이다.

그러나 새로운 기술을 적극적으로 수용하려는 얼리어답터 정신만은 배울 만하다. 새로운 기술을 다른 사람보다 한 발 빨리 받아들여 사용하겠다는 정신 자세는 인생을 살아가는 데 여러모로 유익하다.

첫째, 세상의 흐름을 읽을 수 있다.

출시되는 첨단 기기를 보면 시대가 어떤 방향으로 흐르는지를 알 수 있다. 디지털 카메라가 출시되자마자 구입해서 사용해본 얼리어답터는 어렵지 않게 필름 카메라의 종말을 짐작할 수 있었다. 그런데 한편에서는 시대가 바뀌는 것도 모르고, 점포가 싸게 나왔다며 사진관을 인수하기도 했다.

둘째, 객관적 안목을 키울 수 있다.

소비자는 새로운 물건을 사면 실제보다 좋게 평가하는 경향이 강하다. 한 번 산 이상 후회해도 소용없기에 마음의 평화를 유지하기 위해서라도 긍정적인 평가를 내린다. 그러나 얼리어답터 중에는 새로운 제품을 먼저 손에 쥐었다는 사실보다는 제품의 기능 자체를 중시하는 사람들이 많다. 그들은 관련 제품에 대한 해박한 지식을 갖고 있어서, 기존 제품과 비교 평가한 뒤 비교적 냉정한 평가를 내린다.

심리학에서 말하는 '일관성의 법칙'에 사로잡히지 않고 객관적

시선을 유지할 수 있다면 사회생활을 하는 데 매우 유익하다. 대다수 사람이 개인적 감정에 사로잡혀 잘한 일은 불안해하는가 하면, 형편없이 해놓은 일에서 긍지와 보람을 느끼는 경우도 허다하기 때문이다.

셋째, 정보를 공유한다.

일반 소비자는 알게 된 정보를 재산처럼 축적하려는 경향이 있다. 그러나 얼리어답터는 아낌없이 정보를 공유한다. 혼자서 그 정보를 갖고 있기보다 다 함께 정보를 공유하면 새로운 지식을 더 많이 쌓을 수 있음을 알기 때문이다.

정보화 시대의 직장인은 우물 안 개구리처럼 자신이 알고 있는 정보나 지식 안에 갇혀 살아서는 안 된다. 과감히 우물을 벗어나야 더 큰 세상을 만날 수 있다.

넷째, 신기술을 이용한 관련 사업을 시작할 수 있다.

하나의 기기가 성공을 거두면 곧장 관련 사업이 성행하게 마련이다. 스마트폰만 하더라도 애플리케이션을 비롯해서 액세서리, 케이스, 액정 필름 등 수많은 관련 사업이 뒤를 이었다. 얼리어답터 정신을 갖고 있으면 미래 사업을 일찍부터 준비할 수 있다. 실제로 IT 분야에서 성공을 거둔 젊은 사업가 중에는 얼리어답터가 상당수다.

나도 젊었을 때는 카메라 얼리어답터였다. 새로운 제품이 국내에 수입됐다는 소식이 들려오면 한걸음에 달려갔고, 독일의 '라이카 M3'나 프랑케 하이데케의 제품 '롤라이플렉스 2안 리플렉스', 스웨덴의 자존심인 '하셀블라드 503' 같은 명품 카메라를 구입하기 위해 해외 경매에도 참여하고, 몇 달치 봉급을 모아서 송두리째 갖다 바치기도 했다.

몸에 밴 얼리어답터 정신은 직장생활 때 고스란히 드러났다. 일을 처리할 때는 가급적 신기술을 선호했고, 더 새로운 기술이 없나 관련 잡지나 서적을 기웃거렸으며, 틈날 때마다 해외 논문을 찾아보곤 했다. 제품을 구입할 때도 단가와 수명을 꼼꼼히 비교 분석한 뒤, 비용이 수명을 상쇄할 수 있다면 주저 없이 신제품을 구입했다.

기술의 진보 속도가 빨라서 따라가는 게 힘겹더라도 낡은 기술에 집착해서는 안 된다. 신제품을 구매할 여력이 안 된다면 정신만이라도 신기술을 받아들여야 한다. 그래야 세상의 중심에서 멀어지지 않는다. 현직에서 은퇴하거나 도시를 떠나 사는 사람이라면 신기술이나 신제품에 연연해할 필요가 없다. 그러나 직장에 몸담고 있다면 퇴직하는 그날까지 혁신가 정신으로 살아야 한다. 그래야 주변 사람들에게 '퇴물', 그것도 '낡은 전문가' 취급을 당하지 않는다.

크리스토프 폰 에셴바흐는 "순간을 지배하는 사람이 인생을 지배한다"고 하였다. 순간을 지배하기 위해서는 청년 정신을 갖고 하루하루 최선을 다해 살아야 한다.

비록 내 관련 분야가 아니라도, 낡은 기술만을 고집하지 마라. 요즘 젊은이들 취향을 도무지 모르겠다고 머리를 설레설레 흔들지 마라. 제품 매장에 잠깐 들러서라도 신제품을 살펴보고, 왜 젊은이들이 열광하는지 그 이유를 찾아라. 새로 유행하는 헤어스타일을 하고 최신식 양복을 맞춰 입는 것보다, 그편이 훨씬 더 세련된 모습이다.

효율적으로
일하라

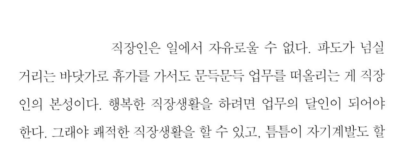

　　직장인은 일에서 자유로울 수 없다. 파도가 넘실거리는 바닷가로 휴가를 가서도 문득문득 업무를 떠올리는 게 직장인의 본성이다. 행복한 직장생활을 하려면 업무의 달인이 되어야한다. 그래야 쾌적한 직장생활을 할 수 있고, 틈틈이 자기계발도 할수 있다.

　　업무의 달인이 되려면 무엇보다도 일에 대한 열정이 있어야 한다. 또한 해야 할 일을 스케줄에 따라 철저히 관리하고, 일의 우선순위를 정해놓고 시간별로 나눠서 빈틈없이 처리하고, 일을 좀 더빨리 끝낼 효율적인 방법을 찾으려고 고심하면서 업무 일지를 기록해야 한다.

　　회사에는 반드시 업무의 달인들이 있게 마련이다. 내가 만나본업무의 달인들은 업종도 다르고 부서도 달랐지만 몇 가지 공통점이 있었다. 그들이 업무를 효율적으로 처리하기 위해 추천한 방법을 정리해서 공통점을 모아보니 모두 여덟 가지였다.

하나, 반복되는 일은 모델을 만들어라.

반복해서 해야 하는 일은 정례화할 필요가 있다. 정해진 규칙에 따라 업무를 처리하되 불필요한 절차를 간소화하라. 결제 시스템도 단순화하여 시작부터 끝나는 데까지 들어가는 전체 시간을 줄여라. 업무의 종류에 따라 몇 개의 모델을 만들어놓으면 일하는 시간을 대폭 줄일 수 있다.

둘, 유사한 업무는 모델 속에 포함시켜라.

비슷한 업무는 분류해서 만들어놓은 몇 개의 모델 속에 포함시키는 게 좋다. 차이점은 예외 항목을 적용하면 된다.

셋, 최적화된 업무 모델이 완성되면 사내 홈페이지에 올려 공유하라.

부서별로 업무의 종류는 다르지만 업무 처리 방식은 대개 비슷하다. 최적화된 업무 모델을 만들었으면 사내 홈페이지에 올려 공유하라. 다른 부서에서 그 모델을 이용해 새로운 유형의 모델을 만들 수 있다.

넷, 새로운 유형의 일은 반드시 피드백을 받아라.

업무 중 스트레스도 심하고 가장 많은 시간을 빼앗기는 일은 처음 해보는 일이다. 전임자가 있다면 도움을 받으면 되지만 새로운 유형의 일은 어떻게 처리해야 할지 난감하다. 처음 가는 장소는 내비게이션의 힘을 빌리는 게 현명하듯, 처음 해보는 일은 경험자의 도움이 필요하다. 혼자서 해내려 하지 말고 경험자를 찾아가 조언을 구하자. 우여곡절 끝에 일을 끝냈으면 반드시 피드백을 받아 완성도를 높여야 한다. 피드백을 받지 않을 경우, 공들여 일해놓고도 형편없이 일했다는 소리를 들을 수 있다.

다섯, 업무 난이도가 높은 일은 전문가의 도움을 받아라.

업무 능력에 비해 난이도가 높은 일은 혼자 해결하려고 끙끙대지 마라. 머리 좋은 사람일수록 수학 문제 풀듯이 홀로 일을 처리하려는 경향이 있는데 솔직히 시간 낭비다. 회사는 고집 센 직원보다는 단기간 내에 효율적으로 일을 처리해내는 직원을 원한다. 내가 지닌 능력에 비해 업무 난이도가 높다고 판단되면 재빨리 전문가를 찾아가라. 개인의 자존심보다는 회사의 이익을 먼저 생각해야 한다.

여섯, 실패 경험은 공개하라.

일을 하다 난관에 부딪히거나 실패해서 전임자에게 털어놓으면 그럴 줄 알았다는 투의 반응이 돌아오기도 한다. 사실 알려지지 않아서 그렇지, 전임자의 실패를 후임자가 반복하는 경우는 허다하다. 같은 부서에서 일하는 직원은 대개 지식과 역량이 비슷하다. 그러다 보니 전임자가 실패한 전철을 후임자가 똑같이 밟는다.

세상이 바뀌면서 회사 분위기도 바뀌었다고는 하지만 실패를 인정하면 무능한 사원으로 찍힌다는 인식이 팽배하다 보니 벌어지는 현상이다. 그런데 한술 더 떠서 부하 직원이 실패하면 그 여파가 자신에게 미칠까 봐 상사가 앞장서 실패를 덮어버리기도 한다. 빠지기 쉬운 구덩이는 메꾸어야 더 이상 피해를 입지 않는데, 빠졌다는 사실을 감추기에 바쁘니 잊힐 만하면 똑같은 실패를 반복하게 되는 것이다.

회사 입장에서 보면 개개인의 실패는 중요하지 않다. 승패는 '병가지상사(兵家之常事)'라고, 일을 하다 보면 잘할 때도 있고 못할 때도 있기 때문이다. 그러나 계속되는 실패는 곤란하다. 실패를 알면서도 제때 조치를 취하지 않아서 후임자가 똑같은 실수를 반복한다면 회사 입장에서도 문책하지 않을 수 없다.

가장 바람직한 것은 실패자를 격려하고 실패 경험을 조직원들과 공유하도록 하여, 같은 실패를 반복함으로써 소모되는 불필요한 비용과 시간을 줄이는 것이다.

일곱, 인수인계를 할 때 업무 노하우도 전수하라.

다른 부서로 발령이 나거나 갑작스런 일로 직장을 그만두게 될 때는 반드시 인수인계를 해야 한다. 특히 업무 자체가 특별하거나 전임자가 오랫동안 근무했을수록 인수인계 기간을 길게 잡아야 한다. 그래야 업무 노하우도 상세히 알려주고, 관련 업체 직원들에게 인사도 시켜주고, 업체와 개개인의 특성까지 알려줄 수 있다.

인수인계가 제대로 이루어지지 않은 상태에서 일을 물려받게 되면 후임자가 어려움을 겪을 것은 불 보듯 뻔하다. 뒤늦게 전화나 메일로 업무에 대해 문의해봤자 전임자도 새로운 업무에 적응하느라 바쁜 상황이기 때문에 제대로 된 설명을 듣기 어렵다. 자칫하면 "구관이 명관"이라느니 "사람 그렇게 안 봤는데 무능하더라!"라는 소리를 듣기 십상이다.

여덟, 기본을 무시하지 마라.

업무를 효율적으로 처리하는 것은 좋은데 지나치게 집착하다 보면 기본을 무시하게 된다. 업무 효율성을 높일 수 있지만 기본에 어굿난다면 상사에게 곧바로 보고하고, 회사 차원에서 검토해봐야 한다. 기본이란 건축물을 받치고 있는 지반과 같다. 지반이 흔들리면 기업 전체가 흔들린다.

직장인에게 일은 일상이자 기회이다. 고대 그리스 출신의 연설가 데모스테네스는 "작은 기회로부터 종종 위대한 업적이 시작된다"고 했다. 일은 나의 능력을 한껏 펼칠 수 있는 작은 기회다. 그 기회를 방치하지 말고, 손을 내밀어서 꽉 붙잡아라!

승진하려면
전체를 보아라

　　　직장인에게 승진은 특별한 의미를 지닌다. 승진하면 연봉이 오르는 데다 조직 내에서 위상이 달라진다. 내가 그동안 열심히 일한 공로를 인정해주는구나, 싶어서 자신도 모르는 사이에 어깨에 힘이 들어가고 기분도 남다르다.

　　승진 대상자가 아니더라도 인사철이 되면 다소 긴장하게 마련인데, 내가 승진 대상자가 되면 그 긴장감은 이루 말할 수 없다. 그런데 가끔 능력도 있고, 일도 무척 열심히 한 직장인이 승진자 명단에서 누락되기도 한다. 당연히 될 거라고 믿었던 당사자로서는 허탈한 일이 아닐 수 없다.

　　시기가 되면 재깍재깍 승진하는 직장인이 있는가 하면 매번 미끄러지는 직장인도 있다. 제때 승진하기 위해서는 인맥관리도 잘해야 하고, 상사에게 능력을 인정받아야 하고, 동료 사이에서 평판이 좋아야 한다. 또한 자신이 맡은 일에 최선을 다해야 하고, 무엇보다도 성실해야 한다. 이런 모든 조건을 갖췄음에도 불구하고 승진 기회 때마다 누락되는 아픔을 겪는다면, 그건 바로 안목이 짧기 때문이다.

제때 승진을 못하는 사람에게는 특징이 있다. 부분에 집착해서 전체를 보는 안목이 부족하다는 것이다. 회사는 미래를 내다보며 함께 성장해갈 인재를 원한다. 근시안적인 안목을 지니고 있다면 인사고과에서 좋은 점수를 받을 수 없다.

이런 직원은 다음 일곱 가지를 명심해서 처신해야 한다.

하나, 성과에 집착한 나머지 정도를 벗어나지는 마라.

회사에는 문서화된 규칙과 문서화되지는 않았지만 반드시 지켜야 하는 규칙이 존재한다. 그러나 성과에 집착하면 순간적인 유혹에 빠져서 넘지 말아야 할 선을 넘기도 한다. 직장에서 성과를 내는 것도 능력이지만 버티는 것 또한 능력이다. 언제 터질지 모르는 시한폭탄은 애초부터 취급하지 말아야 한다.

둘, 조직의 이익보다 개인의 이익을 우선시하지 마라.

하나의 사업은 내가 몸담고 있는 부서 외에도 여러 부서와 긴밀하게 연결되어 있다. 일을 성사시키면 나는 실적을 올릴 수 있지만 다른 부서가 물질적·정신적으로 피해를 입는 경우도 있다. 회사는 전체 이익을 생각하기 때문에 이런 종류의 일은 애초에 시작하지 말아야 한다.

셋, 생색나는 일만 도맡아서 하려고 들지 마라.

회사 업무는 조직마다 정해져 있게 마련인데 대개 세 종류다. 성

과와 관련된 중요한 일, 중요하지는 않지만 성과와 관련된 일, 성과
와는 상관없이 시간만 잡아먹는 일이다. 첫 번째 일은 아이디어를
낸 직원이 맡는 게 보통인데, 꼭 중간에 가로채는 사람들이 있다.
이런 유형의 직원은 세 번째 일은 절대로 맡지 않는다. 따라서 비록
성과는 높을지 몰라도 평판이 안 좋게 마련이다. 때로는 조직을 위
해서 자신을 희생할 줄도 알아야 한다.

넷, 안전한 일만 하지 마라.

회사는 이익을 추구하는 집단이기 때문에 회사원이라면 도전 정
신이 있어야 한다. 그러나 회사의 규모가 크고 부서에 인원이 많으
면, 안전한 일만 찾아서 하려는 직원이 있다. 승진하기 위해서는 내
가 그 자리에 앉아도 그 일을 충분히 해낼 역량을 지녔음을 증명해

야 한다. 실패가 두려워서 안전한 일만 하면 하급관리자라면 몰라도 고급관리자는 되기 어렵다.

다섯, 혼자 일하지 마라.

직장인이 지녀야 할 덕목 중에서 가장 중요한 것이 소통 능력이다. 특히 부하 직원들을 잘 관리해서 함께 나아가야 하는 중간관리자에게 소통은 필수 요건이다. 혼자서 일하는 직원은 소통 능력이 부족해 보인다. 종종 자신이 기획한 프로젝트를 누군가 가로챌까 봐 혼자서 일하는 직원이 있는데, 그런 경우 득보다는 실이 더 크다. 비록 빼앗길지라도 조직원들에게 공개한 뒤 함께 일을 추진하는 게 바람직하다.

여섯, 편을 갈라서 끼리끼리 몰려다니지 마라.

사내 정치를 잘하면 고속 승진을 할 수도 있지만 잘못하면 한직을 떠돌거나 사직서를 쓰는 계기가 되기도 한다. 마음에 맞는 사람끼리 교류하는 건 괜찮지만 조직 내에서 티가 날 정도로 편을 갈라서는 안 된다. 시기와 질투의 대상이 되기 때문이다. 내 편을 만드는 일도 중요하지만 그보다 더 중요한 일은 적을 만들지 않는 것이다. 지금은 비록 가장 힘이 센 쪽에 줄을 섰다 해도 안심해서는 안된다. 힘의 균형은 언제 바뀔지 모르는 일이다.

일곱, 회사 정보를 함부로 흘리고 다니지 마라.

회사는 입이 무거운 사람을 좋아한다. 직위가 올라갈수록 권한이 커지고, 고급 정보를 다루기 때문이다. 술자리에서 무심코 내뱉은 말이 회사에 불이익을 안겨주는 경우도 허다하므로, 항상 말을 조심해야 한다.

승진에 한두 번 실패했더라도 좌절하지 마라. 나폴레옹은 "불행은 언젠가 잘못 보낸 시간의 보복이다"라고 하였다. 시간은 금세 흘러간다. 중요한 것은 똑같은 실패를 두 번 다시 반복하지 않는 것이다.

바다 밑바닥에서 서식하는 가자미 같은 물고기는 두 눈이 한 곳에 모여 있다. 먼 곳보다 가까운 곳을 보며 살기 때문이다. 위로 올라가고 싶다면 눈을 크게 뜨고 전체를 보는 습관을 길러야 한다. 회사는 당신과 비전을 함께 나누고 싶어 하며, 당신이 좀 더 균형 잡힌 인재로 성장하기를 원한다.

스트레스 괴물에게
먹이를 주지 마라

　　직장생활을 하다 보면 반드시 마주쳐야 하는 괴물이 있다. 바로 스트레스다. 약간의 스트레스는 신체를 긴장시켜서 집중력을 높여준다. 그러나 과도한 스트레스는 각종 질병을 비롯한 여러 부작용을 낳는다.

　살아가면서 피하고 싶지만 피할 수 없는 것들이 있다. 스트레스도 그중 하나다. 나 역시 직장생활을 하면서 적잖은 스트레스에 시달려야 했다. 직장에는 〈포켓몬스터〉 속 몬스터처럼 다양한 형태의 스트레스 괴물들이 존재한다. 스트레스에 대처하는 가장 현명한 방법은 그것들에게 먹이를 주지 않는 것이다. 괴물들은 나의 반응과 분노를 먹고산다. 내가 반응하면 반응할수록 그것들은 점점 몸집을 불려나간다. 가장 어리석은 반응은 괴물들이 출현할 때마다 정면으로 대응하는 것이다.

'그동안 내가 얼마나 잘해줬는데 인간의 탈을 쓰고 어떻게 나한 테 이럴 수 있어?'

'아예 나가라는 거네. 더 이상은 나도 더러워서 못 다니겠다!'

'자존심도 체면도 다 팽개치고, 이렇게 개처럼 살아야 하는 거야?'

이런 식의 반응은 칼만 안 들었지 자해하는 것과 별반 다를 바 없다. 미국의 심리학 박사이자 베스트셀러 작가인 리처드 칼슨은 스트레스에 대해 이렇게 말했다.

"스트레스는 사회적으로 용인되는 정신질환의 한 형태에 불과하며, 대개는 없앨 수 있다. 중요한 사실은 스트레스는 우리에게 일어나는 것이 아니라, 우리의 생각 속에서 생겨난다는 것이다."

스트레스에 부딪혔을 때 어떻게 반응하느냐에 따라 스트레스 괴물의 크기가 달라진다. 가장 현명한 방법은 마인드를 바꾸는 것이다.

대인관계는 직장생활에서 가장 큰 스트레스다. 특히 상사와의 잦은 마찰은 일하고 싶은 의욕마저 꺾어놓는다. 상사가 잔소리할 때 마음속으로 '제발 좀 그만해, 폭발하기 일보 직전이니까!' 하고 소리치지 마라. 그러한 반응은 스트레스 괴물에게 먹이를 주는 행위다. 먹이를 던져주지 말고 마인드를 바꿔라.

'그래, 상사니까 잔소리하는 거야. 난 들을 마음의 준비가 됐으니까 어디 한번 실컷 떠들어봐!' 하고 한 발 뒤로 물러서라. 먹이를 찾아 어슬렁거리던 스트레스 괴물은 얼마 안 가서 제풀에 지쳐 떨어져나간다.

사실, 상사가 되면 잔소리를 해야 하는 게 스트레스다. 말단 직원으로 일할 때는 모르지만 상사가 되면, 단상에 올라선 것처럼 직원들의 생각부터 행동까지 한눈에 내려다보인다. 직급이 위로 올라갈수록 매의 눈이 된다. 단점이 보일 때마다 일일이 불러서 훈계하고 잔소리하려면 끝도 없다. 대다수의 임직원은 어지간한 잘못쯤은 눈감아준다. 작은 것을 자세히 들여다보느라 큰 것을 못 보면 안 되기 때문이다.

직장생활을 하다 보면 잘못해서 욕먹기도 하지만 잘못한 게 없는데도 억울하게 욕먹는 경우가 종종 있다. 그럴 때 논리를 들이대서 꼬치꼬치 따지는 것처럼 어리석은 짓도 없다. 마인드를 바꿔서 한 발 뒤로 물러서라. 더 높은 상사에게 한 소리 들었거나 부인 혹은 남편에게 바가지를 왕창 긁혔나 보다고, 마음 편히 생각하라. 실제로 그런 경우가 허다하다.

직장생활에서 마주하게 되는 스트레스 중 업무 스트레스를 빼놓을 수 없다. 야근은 물론이고 주말 근무까지 해도 일이 끝나지 않을 때, 마감 시한은 임박했는데 일을 도저히 끝낼 수 없는 상황일 때, 스트레스 괴물이 무차별적인 공격을 퍼붓는다.

이럴 때는 반드시 일의 주도권을 빼앗아야 한다. 주도권을 빼앗겨서 나의 선택이 줄어들면 줄어들수록 스트레스 괴물은 반대로 몸집을 불려간다. 포기할 부분은 깨끗이 포기하고, 마감 시한이 임박한 일은 욕먹을 각오를 하고, 마감 시한을 연장하는 게 현명하다.

스트레스 괴물은 불확실한 환경을 좋아한다. 업무 스트레스를 줄이는 좋은 방법은 근무 시간 중에 일을 최대한 마무리해서, 불확실성을 제거하는 것이다. 일을 뒤로 미루다 보면 결국 야근을 해야 하고 스트레스만 점점 심해진다. 어쩔 수 없이 야간 근무나 휴일 근무를 해야 할 때는 반드시 마감 시한을 정하라.

만약 공장의 컨베이어 시스템처럼 끝없이 일거리가 들어온다면 '메뚜기도 한철'이라는 말을 떠올려라. 도시를 삼켜버릴 듯이 시끄러운 매미 울음소리도 때가 되면 온데간데없이 사라지고, 모든 것을 삼켜버릴 것만 같은 강력한 태풍도 얼마 안 가서 사그라진다. 끝나지 않을 것 같은 업무 역시 마찬가지다.

직장생활 중 마주쳐야 하는 막강한 괴물 중 실적 스트레스가 있다. 꿈에서조차 달성해본 적 없는 숫자를 들이밀며 상사가 압박할 때, 나의 실적이 몇 달째 바닥을 기고 있을 때, 극심한 스트레스를 받게 된다. 조직의 구조상 받을 수밖에 없는 스트레스는 조직원들과 함께 풀어나가는 게 현명하다. '과부 설움은 과부가 안다'는 속 담처럼 동료들과 함께 술을 마시거나 차를 마시며 한바탕 수다를 떨다 보면 기분이 전환된다. 단, 한 가지 명심할 점은 부정적인 마 인드를 지닌 직원과는 단둘이서 수다를 떨지 말라는 것이다. 스트 레스를 풀려다가 스트레스만 더 쌓인다.

회사생활로 한창 스트레스가 심할 때는 '이러다 해고당하는 거 아닐까?' 하는 불안감도 커지고, 불안감은 또 다른 형태의 스트레 스 괴물이 되어 다가온다. 미래는 걱정한다고 해서 해결되는 일이 아님에도 불구하고 뇌가 걱정하는 까닭은, 실제로 그런 일이 닥쳤 을 때 심리적 충격을 완화하기 위함이다. 가슴이 답답하고 일이 손 에 잡히지 않을 때는 사무실을 나와 산책을 해보라. 기분 전환도 되 고 답답했던 가슴도 한결 시원해진다.

경험에 의하면 스트레스는 메뚜기처럼 떼로 몰려다니는 경향이 있다. 회사에서 스트레스가 심할 때는 가정 문제도 동시에 불거져 스트레스를 거든다. 가정에서 생긴 스트레스 괴물은 성장 속도가 빠르기 때문에 덩치가 커지기 전에 대화로 풀어야 한다. 직장에서 스트레스 받는 상황을 솔직히 이야기하고, 섭섭한 감정이 있다면 서로 털어내고, 잘못한 일은 깨끗이 잘못을 인정하는 등 오해를 바 로잡으면 스트레스 괴물은 스르르 사라진다.

최근 영국 서식스대학교 인지심경심리학과 데이비드 루이스 박 사팀의 연구에 따르면, 독서가 스트레스 해소법으로 가장 효과가 좋은 것으로 나타났다. 연구팀은 독서, 커피 타임, 산책, 음악 감상, 비디오 게임 등이 스트레스를 얼마나 줄여주는지를 측정했다. 피실

험자들은 독서를 한 지 6분 정도가 지나자, 심박수가 낮아지고 근육 긴장이 풀어지며 스트레스가 68퍼센트 감소됐다. 음악 감상은 61퍼센트, 커피 타임은 54퍼센트, 산책은 42퍼센트 스트레스를 줄이는 것으로 나타났다. 비디오 게임은 스트레스를 21퍼센트 줄여주지만 심박수는 오히려 높았다.

'걱정은 머리를 희게 하고, 늙은 사람으로 보이게 한다'는 독일 속담이 있다. 스트레스 괴물에게 자꾸만 먹이를 줘서 걱정거리를 키우지 마라. 젊게 살아도 돌아보면 아쉬운 게 인생이다.

체험만큼
소중한 것은 없다

　　영국의 철학자 프랜시스 베이컨은 '아는 것이 힘'이라고 했다. 그의 말대로라면 정보화 시대를 살아가는 현대인은 인류 역사상 가장 막강한 힘을 지니고 있는 셈이다. 그런데 과연 우리가 알고 있는 것이 정말 아는 것일까?

　새로운 사실을 알아가는 데는 체험만큼 확실한 것도 없다. 체험에는 간접 체험과 직접 체험이 있다. 책, 방송, 인터넷 등을 통한 앎은 간접 체험이고, 내가 현장에 가서 몸소 체험한 앎은 직접 체험이다. 그 둘의 가장 큰 차이는 '공감'이다. 요즘에는 방송이나 인터넷을 통해 세계 구석구석을 편안하게 구경할 수 있다. 그럼에도 불구하고 사람들이 굳이 위험을 무릅쓰고 돈과 시간을 투자해 여행을 떠나는 이유는 직접 몸으로 체험하여 공감하기 위해서다.

　산업화 시대에는 중요한 정보를 국가기관이 독점하고 있는 경우가 많았다. 또한 중요한 정보는 시간을 다투는 일이어서, 누가 정보를 먼저 선점하느냐가 사람들의 관심사였다. 빠르고 정확한 정보를 이용해서 큰돈을 벌기도 했는데 그 대표적 사례가 로스차일드 가문이다. 워털루 전투에서 영국군이 승리했다는 정보를 선점한 그들은 마치 영국이 패배한 것처럼 국채를 팔았다. 지켜보던 다른 투자가들은 영국이 나폴레옹에게 패했다고 확신하고 너도나도 내다 팔았고, 국채가 순식간에 휴지 조각처럼 변하자 로스차일드 가문은 다시 헐값에 사들여 천문학적인 수익을 올렸다.

산업화 시대에는 정보전쟁이라고 불러도 무방할 정도로 기업과 기업, 국가와 국가 간의 정보전쟁이 치열했다. 그러다 보니 첨단 장비를 동원한 도청과 감청이 성행했다. 산업화 시대를 거치면서 정보의 중요성을 익히 알고 있던 지식인들은 정보화 시대가 오면 정보 선점을 둘러싼 경쟁이 한층 치열해질 거라고 예상했다. 그러나 막상 정보화 시대가 펼쳐지자 정보를 모두에게 공개하고 공유하자는 분위기가 확산됐다. 해커들은 국가의 이익이나 기업의 이익보다 개인의 알 권리를 주장하며 고급 정보를 해킹해서 대중에게 조건 없이 공개했고, 위키리크스 창립자 줄리언 어산지는 미국 정부의 협박에도 불구하고 내부 고발자의 도움을 받아, 일반인은 접근조차 어려웠던 국가의 기밀문서를 대량 공개했다.

인터넷과 스마트폰의 발달로 지구촌 곳곳에서 동시 중계가 가능한 상황이 되자 정보를 감추기도 어려워졌고, 선점하기도 어려워졌다. 산업화 시대와는 달리 선점한다고 해도 다른 사람이 알아내기까지의 시간차가 그리 크지 않기 때문이다. 그러자 사람들의 관심은 정보 선점에서 정보를 어떻게 비즈니스와 연결시키느냐 하는 쪽으로 넘어갔다.

'체험'의 중요성이 부각되는 이유도 바로 이 때문이다. 산업화 시대에는 개인의 체험이 비즈니스로 연결되는 경우는 그리 많지 않았다. 그러나 정보화 시대에 접어들면서 정보와 개인의 체험을 융합한 새로운 비즈니스 모델들이 속속 성공을 거두었다. 그러자 노동자들의 근로 시간에만 신경 쓰던 CEO들은 근로의 질을 생각하기 시작했고, 직원들이 한껏 창의력을 발휘할 수 있도록 근무 환경을 개선하기 시작했다.

창의적이고 혁신적인 제품으로 소비자의 마음을 꾸준히 사로잡은 3M은 '15퍼센트 규칙'을 만들어서, 기술직 직원은 자신의 근무 시간 중에서 15퍼센트를 업무와 무관한 일에 사용할 수 있도록 정하였다. 구글은 한 발 더 나아가 업무 시간 중 20퍼센트를 업무 외의 일에 의무적으로 사용하도록 하는 '20퍼센트 규칙'을 만들었다. 개인적인 체험을 통해 공감을 얻고, 그 공감을 업무와 연결시켜 새로운 영감을 얻는 융·복합형 비즈니스가 사업가들뿐만 아니라 조직원들에게까지 확산된 것이다.

시대가 변하면서 작업 환경 또한 변하고 있다. 정보화 시대의 직장인으로 생존하기 위해서는 과거의 직장인처럼 소파에서 뒹굴며 주말을 보내서는 안 된다. 전문 지식을 업그레이드하든지, 새로운 것을 배우러 다니든지, 여행을 다니든지, 취미생활을 하며 주말을 보내야만 한다. 타성에 젖어 있는 뇌를 새로운 지식과 호기심으로 환기시켜야만 쏟아지는 정보 속에서 새로운 기회를 찾아낼 수 있다.

　나는 산업화 시대에도 주말이 되면 들로 산으로 돌아다녔다. 스키도 타고, 골프도 치고, 등산도 하고, 사진도 찍고, 시도 쓰고, 그림도 그리고, 영화나 연극도 보러 다니다가 밤이 깊어서야 집으로 들어갔다. 월요일이 되면 한결 가벼워진 발걸음으로 출근하곤 했는데, 재충전한답시고 주말에 온종일 소파에서 빈둥거렸던 사람들은 축 처진 몰골로 출근하곤 했다.

　다람쥐 쳇바퀴 돌듯이 집과 직장을 반복하는 직장인에게는 발전을 기대할 수 없다. 인간의 뇌는 새로운 자극을 받아야 영감을 떠올리는데, 반복되는 생활 속에 무슨 자극이 있겠는가. 아무 생각 없이 출근해서 아무 생각 없이 습관적으로 업무를 처리하다 보면 업무 치매에 걸리게 된다. 회사에서는 물론이고 퇴근하고 나서도 종일 무슨 일을 했는지조차 기억하지 못한다.

정보화 시대에는 알고 있는 지식도 의심해야 한다. 내가 낡은 지식을 끌어안은 채 이것이 옳다는 확증 편향에 사로잡혀서 진실을 외면하고 있지는 않은지, 단편적이고 편협한 지식을 일반화된 폭넓은 지식인 것처럼 확대해석하고 있지는 않은지 돌아봐야 한다. 당연한 것을 당연하게 받아들여서는 개인은 물론 조직도 정체된다.

직장생활을 오래 하다 보면 삶이 단조로워지기 때문에 생각이나 지식이 편향되기 쉽다. 단조로운 삶을 다채롭게 만드는 것은 다양한 체험뿐이다. 직장생활을 즐겁게, 오랫동안 하고 싶다면 다양한 취미활동을 하며 삶을 즐길 줄 알아야 한다. 정보화 시대에는 오로지 일만 하는 사람보다는 다양한 체험을 한 사람이 사회적으로 성공할 확률이 높다.

진화론을 펼친 찰스 다윈은 "가장 오래 산 사람은 나이가 많은 사람이 아니고 많은 경험을 한 사람이다"라고 했다. 한 번뿐인 인생인데 평생 일만 하다가 서둘러 가느니, 다양한 체험을 하면서 오래오래 사는 게 좋지 않겠는가.

가끔은
나에게도 관대해져라

　　사회생활을 하다 보면 나 자신에게 엄격해지게 마련이다. 그래야 시간관리를 통해 인생을 관리할 수 있고, 내가 원하는 인생을 살 수 있기 때문이다. 나 자신에게 엄격해지는 건 누구에게나 권장할 만한 일이다. 의지를 갖고서 인생의 목표를 향해 달려가는 사람은 얼마나 아름다운가.

　　독실한 크리스천으로서 미국 최초의 백화점을 설립한 존 워너메이커는 이렇게 말했다.

　　"목적 없이 산다는 것은 위험한 일이다. 또한 목적이 있더라도 그것이 낮은 것이라면 역시 위태롭다. 목적이 희미하거나 있어도 낮다면 죄악에 가까이 서 있기 때문이다."

　　목표가 없는 삶은 자유로워 보여도 방탕해지기 쉽다. 그래서 자기계발의 선구자들은 나 자신에게는 엄격하되, 타인에게는 관대해지라고 권한다.

하지만 나 자신에게 엄격해지다 보면 타인에게 관대해진다는 게 쉽지 않다. 대개 인간의 표준 잣대는 나 자신이다. 나를 엄격하게 다스리고 통제하다 보면 기준 잣대가 높아지게 마련이어서, 높아진 잣대를 습관적으로 타인에게 들이댄다.

학창 시절은 물론이고 직장생활을 하면서도 지각, 조퇴, 결근을 해본 적 없는 사람은 그런 동료나 부하 직원을 마주하면, 애써 태연한 척해도 의식하지 못하는 사이에 이마에 주름이 잡힌다. 나의 기준으로는 도무지 이해할 수 없는 일이기 때문이다. 부하 직원이 올린 기획안을 검토할 때도 전체적인 내용보다는 잘못된 문장이나 맞춤법부터 찾게 된다. 완벽주의가 몸에 배어 있다 보니 나오는 무의

식적인 행동이다.

이런 사람은 성실한 데다 일을 잘하니 상사에게는 인정받는다. 그러나 동료나 부하 직원들에게는 인기가 없다. 칭찬은 더없이 인색하고 비판의 칼날은 날카로우니, 그 누가 좋아하겠는가.

얼마 전, 후배 K가 경영하는 무역 회사를 찾아간 적이 있다. 3년 전에 처음 시작할 때에는 열 평 남짓한 오피스텔에 경리 한 명뿐이었는데, 사무실도 한 층을 통째로 쓸 만큼 커졌고 직원도 30명 가깝게 늘어나 있었다. 모든 것이 풍성해졌는데 K만은 반대로 큰 병이라도 앓은 사람처럼 야위어 있었고, 몰라볼 정도로 폭삭 늙어 있었다. 한 시간 가까이 함께 있다 보니, 그 이유를 알 것 같았다.

직장에는 직위가 있고, 직위에 맞는 업무가 있게 마련이다. 그런데 K는 사업을 처음 시작했던 때처럼 잡다한 업무까지 전부 스스로 챙기려고 했다. 어떤 때는 과장이 되었다가, 어떤 때는 평사원이 되었다가, 어떤 때는 사장이 되었다가, 어떤 때는 대리가 되었다가, 어떤 때는 부장으로 변신했다. 일이 많다 보니 잠시도 쉴 틈이 없었고, 몸이 고되다 보니 자연스럽게 직원들에게 잔소리를 퍼부어댔다. 직원들은 사장의 잔소리에 인이 뱄는지 한 귀로 듣고 한 귀로 흘리면서, 우리 사장님은 못 말린다는 투로 고개를 설레설레 저었다.

우리가 열심히 일해서 성공하려는 이유는 결국 행복해지기 위해서다. 성공하면 나도 행복해지고 가족도 행복해지고 직원도 행복해져야 하는데, 행복해지기는커녕 모두가 불행하다면 그건 제대로 된 성공이라 할 수 없다. 긴장의 끈을 놓지 않고 열심히 살아가는 것도 좋지만 가끔은 나 자신에게 관대해질 필요가 있다. 그래야 인간에 대한 이해의 폭이 넓어져서 타인에게도 관대해진다.

결과에 스스로 책임을 져야 하지만 가끔은 나의 잘못을 눈감아 줘라. 마치 자책하고 있는 타인에게 다가가서 등을 토닥거리며 다정하게 말을 건네듯이, 나에게도 소리 내서 이렇게 말하라.

"괜찮아! 지금까지 잘해왔잖아? 인간이니까 누구나 한 번쯤은 잘못할 수 있는 거야."

시간을 관리하며 계획대로 살아야 하지만 가끔은 일탈을 눈감아 줘라.

"그래, 오늘만큼은 네 마음대로 살아봐. 너는 충분히 그럴 자격이 있어!"

맡은 일은 정해진 기한 내에 처리해야 하지만 가끔은 불성실한 나를 용서해줘라.

"아직도 반밖에 못했네. 뭐 어때? 이렇게 어려운 일을 반이나 했는데!"

욕을 바가지로 먹어도 할 말이 없는 상황일지라도 가끔 나를 칭찬해줘라.

"잘했어! 주먹은 휘둘렀지만 발로 차지는 않았잖아?"

물론 이런 일들이 자주 있어서는 곤란하다. 하지만 때때로 나 자신에 대해서 한없이 관대해지는 것도 나쁘지 않다. 인간은 아무리 강한 척해도 외롭고 나약한 존재다. 때로는 논리와 이성을 초월해서 강력한 나의 편이 되어줄 필요가 있다.

고기도 먹어본 사람이 먹는다는 속담처럼 용서도 해본 사람이

하고, 칭찬도 해본 사람이 하는 법이다. 가끔씩은 나에게 관대해져야 타인에게도 관대해질 수 있다.

영국 고전주의의 대표적 시인 알렉산더 포프는 "사람은 잘못을 저지르고, 신은 용서한다"고 했다. 내가 아무리 완벽을 추구할지라도 나는 신이 아닐뿐더러 신이 될 수 없다. 내가 잘못을 저질렀을지라도 가끔씩은 나에게 관대해져야만 내 가슴속에 신이 스며들 공간이 생긴다.

신의 뜻도
존중하라

업무에는 두 종류가 있다. 내 힘으로 통제할 수 있는 일이 있고, 통제할 수 없는 일이 있다. 스트레스는 통제할 수 있는 일들이 예상을 깨고 통제할 수 없는 상황으로 바뀌었을 때 찾아온다. 예를 들면 중요한 회의에 참석해야 하는데 교통이 막혀서 지각할 상황에 놓이거나, 부하 직원에게 일을 끝내고 보고한 뒤 퇴근하라고 지시했는데 그냥 퇴근해버렸을 때 스트레스가 밀려온다.

또한 통제할 수 없는 일을 천신만고 끝에 통제 가능하게끔 만들어냈는데, 일이 꼬여서 원래 상태로 돌아갔을 때 극심한 스트레스가 밀려온다. 예컨대 몇 달간 준비한 프로젝트가 성사 직전 단계에서 무산되거나, 반드시 될 거라고 확신했던 승진 심사에서 탈락했을 때 허탈감과 함께 직장생활에 대한 회의감이 밀려온다.

현명한 직장인은 앞으로 펼쳐질 상황을 예상하고 관리하면서 스트레스를 예방한다. 통제 가능한 일들이 예상에서 벗어나지 않도록 하나하나 체크해서 관리하고, 통제 불가능할 일은 통제 가능하게끔 도전하되, 실패하면 미련을 갖지 않고 훌훌 털어버린다.

성공한 직장인 중에는 완벽주의자가 많다. 완벽주의자가 되려면 해야 할 일이 많기 때문에 워커홀릭이 될 수밖에 없다. 그러나 아무리 뛰어난 능력을 지니고 있고, 아무리 많은 시간을 들인다 해도, 모든 일들을 완벽하게 해낼 수는 없다. 야생의 맹수들도 생존하기 위해서 최선을 다해 사냥한다. 그러나 성공률이 높지는 않다. 사자의 성공률은 고작 20퍼센트에 불과하고, 타고난 사냥꾼이라 불리는 치타의 성공률도 30퍼센트 안팎에 불과하다. 만약 사냥 대상에서 상처 입은 동물이나 새끼를 제외한다면 성공률은 현저히 떨어진다.

업무도 사냥과 비슷해서, 성과가 높은 일일수록 성공할 확률이 낮다. 그러니 설령 실패로 돌아간다고 해도 죽을 듯이 좌절할 필요는 없다. 적잖은 시간과 비용이 들어갔는데 성과가 없으니 상사가 잔소리를 퍼붓는 건 지극히 당연하다. 그럼에도 불구하고 일이 틀어졌다는 이유로 스스로를 자책하며 스트레스 괴물의 먹이가 될 필요는 없다.

세상은 계획대로 흘러가지 않는다. 물론 확률은 다소 높겠지만 명문대생의 인생이 더 잘 풀린다는 보장도 없고, 가방끈이 짧은 사람이 출세하지 말라는 법도 없다. 중요한 것은 주어진 환경 속에서 최선을 다해 살아가는 것이다. 그러다 보면 예상치 못한 행운이 찾아오기도 하고, 엉뚱하게도 시련이 찾아오기도 한다. 행운은 겸허한 마음으로 감사하게 받아들이면 된다. 만약 행운은 코빼기도 안

비치고 시련만 계속해서 찾아온다면 그 또한 겸허히 받아들여라. 행운이 신의 선물이라면 시련 또한 신의 선물이 아니겠는가.

사서오경의 하나인 《맹자(孟子)》의 〈고자(告子)〉 15장에는 이런 문구가 있다.

'하늘이 장차 어떤 사람에게 큰일을 맡기려 할 때에는 반드시 먼저 마음과 뜻을 흔들어 고통스럽게 하고, 뼈마디가 꺾어지는 고난을 당하게 하며, 그의 몸을 굶주리게 하고, 생활을 빈곤하게 만들어서 하는 일마다 어렵게 하느니라. 이는 그의 마음을 두드려서 참을성을 길러주며, 지금까지 할 수 없었던 일도 할 수 있게 함이니라.'

인생에서 가치 있는 일들은 그에 합당한 대가를 요구한다. 거저 주어지는 것은 아무짝에도 쓸모없는 것들뿐이다. 우리가 사는 세상에는 상대성 원리가 고스란히 적용된다. 큰 것이 있으니 작은 것이 있고, 긴 것이 있으니 짧은 것이 있고, 단단한 것이 있으니 무른 것이 있다. 또한 행복이 있으니 불행이 있고, 성공이 있으니 실패가 있고, 행운이 있으니 불운이 있다.

불행을 겪어야만 행복의 참맛을 알고, 불운을 겪어야만 행운을 발견할 수 있다. 최선을 다해 일하는 건 나의 몫이고, 행운이나 불운을 주는 건 신의 몫이다. 신은 열심히 일한 사람에게 그에 합당한 선물을 주나 반드시 그런 것만도 아니다. 신의 뜻은 깊고 오묘하다. 최선을 다해 일했음에도 불구하고 결과가 좋지 않다면 신의 뜻으로 생각하고 겸허히 받아들일 필요가 있다. '신은 나를 좀 더 단련시켜서 훨씬 더 큰일에 쓰시려나 보구나' 하고 받아들이면 마음도 한결 편해진다.

직장인은 일과 함께 살아가면서 일과 함께 성장한다. 일을 끝내는 것도 중요하지만 일을 통해서 무언가를 배우겠다는 마음의 자세가 필요하다. 성공한 일은 성공한 대로, 실패한 일은 실패한 대로 교훈을 준다. 직장인이 정작 받아들여야 할 것은 성공이나 실패가 아니라 바로 교훈이다.

하나의 일이 끝날 때마다 마음속에 교훈을 새겨나가는 직장인은 연륜이 쌓이면서 점점 거목이 되어간다. 직위도 함께 올라가면서 그의 그늘 아래로 수많은 직장인이 모여든다. 그러나 성공과 실패라는 결과에만 집착하는 직장인은 세월이 흘러도 발전이 없다. 인격이나 지혜도 그대로고 단지 달라진 것은 일하는 스킬과 요령뿐이다. 이런 직장인은 훗날 직장을 그만두게 되면 허송세월한 것만 같아 허탈감에 빠지고 만다.

괴테는 "완전무결한 것은 신의 본성이요, 완전무결하기를 바라는 것은 인간의 본성이다"라고 했다. 내가 할 수 있는 일에 최선을 다했다면 결과에 일희일비하지 마라. 거듭 말하지만 우리는 신이 아니다. 이제는 신의 뜻을 존중할 차례다.

감사하는 마음으로
살아라

'감사'란 받은 것에 대해서 고마워하는 마음이다. 감사할 일이 많다는 것은 받은 것이 많다는 뜻이다. 따라서 감사하며 사는 삶은 축복받은 삶이다. 인생을 감사하는 마음으로 살아갈 필요가 있다. 감사는 삶의 활력소이자 강력한 생존 기술이기 때문이다.

기독교든 불교든 이슬람교든 힌두교든 간에 종교와 종파를 초월해서 공통적으로 강조하는 것은 '감사하는 삶'이다. 감사는 신의 은총에 대한 화답이자, 자아 성찰의 결과이다.

직장은 빠르게 승진하는 것도 중요하지만 오래 버티는 것도 그에 못지않게 중요하다. 오래 버티다 보면 좋은 날도 오게 마련이다. 직장생활에도 봄, 여름, 가을, 겨울이 존재한다. 봄에 입사해서 여름과 가을을 지나 겨울에 정년이 되어 퇴직하는 사람이 있는가 하면, 여름과 겨울을 왔다 갔다 하다가 퇴사하는 사람도 있다.

한창 잘나가던 사람이 한순간에 추락하기도 하고, 제때 승진도 못하고 실적도 안 좋아 구박만 받던 사람이 신데렐라처럼 급부상하기도 하는 게 직장이다. 교만한 사람보다는 감사하는 마음으로 겸손하게 직장생활을 하는 사람이 오랫동안 살아남는다. 교만은 물에 뜬 기름 같아서 잘 섞이지 못한다. 그러나 감사하는 마음은 흐르는 물 같아서 모든 이의 마음속으로 자연스럽게 스며든다.

감사하는 마음은 생존에도 필요하다. 대니얼 디포의 소설 《로빈슨 크루소》에도 감사하는 마음이 나온다. 로빈슨은 무인도에 표류하고 나서 행운과 불운의 대차대조표를 작성한다. 모두가 죽었지만 혼자 살아남았다는 사실, 다행히 먹을 게 있는 섬이라는 사실, 옷이 필요 없는 열대지방이라는 사실, 맹수가 없다는 사실, 하느님이 배를 해안 가까이 보내준 사실에 주목한다. 지천으로 널려 있는 불운 속에서 몇 안 되는 행운을 찾아낸 그는 비로소 신께 감사한다. 로빈슨 크루소의 생존 비결은 다름 아닌 '감사하는 마음'이었다.

사회생활에서도 감사하는 마음은 반드시 필요하다. 신은 불평하는 사람보다는 감사하는 사람의 목소리에 귀를 기울인다. 종교학자 데이비드 웨슬리 소퍼의 1959년 저서 《하나님은 피할 수 없는 분》에는 감옥과 수도원의 차이가 나온다.

'감옥에 갇혀 있는 자는 깨어 있을 때마다 불평을 늘어놓고, 자발적으로 수도원에 갇힌 수도사들은 깨어 있을 때마다 하느님에게 감사를 드린다. 만약 죄수들이 매사 감사한다면 감옥은 수도원이 될 것이며, 수도사들이 매사에 불평을 늘어놓는다면 수도원은 감옥

이 될 것이다.'

매사 불평만 하면서 죄수로 살아갈 것인지, 인생을 영성 충만한 수도사로 살아갈 것인지는 개개인이 선택할 몫이다.

불평은 비교하는 마음에 뿌리를 내리고 있다. 불평은 불만족스러울 때 나오는데, 나의 기대치에 미치지 못한다는 의미요, 내 것보다는 타인의 것이 더 좋다는 뜻이다. 반면, 감사하는 마음은 만족스러울 때 나오는데 기대치에 넘친다는 뜻이요, 내가 가진 것을 타인과 비교해봐도 나쁘지 않다는 뜻이다.

불평하는 사람은 타인의 인생을 훔쳐보며 비교하느라 자신의 인생을 제대로 살지 못한다. 운이 좋아서 백만장자가 된다 해도 더 큰 부자와 비교하기 때문에 항상 불행하다. 감사하는 사람은 자신의

인생을 직시한다. 비록 가난할지라도 주관을 갖고 긍정적으로 세상을 바라보기 때문에 행복하다. 신이 도와줄 것을 믿는 데다 노력하면 가난에서 벗어날 수 있다는 자신감도 있기 때문이다.

신은 인간에게 불평등한 세상을 주었지만, 그와 함께 인간 스스로 마음의 크기를 조절할 능력을 주었다. 인간의 마음은 좁히면 좁쌀보다 작아지지만, 넓히면 하늘보다 넓어진다. 세상사는 마음먹기 나름이다. 수시로 불평불만을 터뜨리며 비좁은 세상에서 갇혀 살지 말고, 감사하며 하늘처럼 드넓은 세상에서 살아가는 게 정신 건강에도 좋고, 인격 수양에도 좋다.

직장인은 회사에서 가장 많은 시간을 보낸다. 항상 감사하는 마음으로 직장생활을 하라. '일한 만큼 돈 받는 건데 감사할 일이 뭐가 있느냐?'고 반문하는 사람은 교만한 사람이다. 사막에서 오아시스를 발견해도 얼음이 없다고 투덜댈 사람이다.

현대 사회에서 혼자 할 수 있는 일은 그리 많지 않다. 대부분의 일이 수많은 사람의 손을 거쳐 완성된다. 매사에 감사하는 습관을 기를 필요가 있다.

그렇다면 감사는 언제, 어떻게 해야 할까?

첫째, 음식 먹을 때 감사하자.

종교인이 아니더라도 음식을 먹기 전에는 자연에 감사하고, 농부와 어부에게 감사하고, 음식을 차려준 사람에게 감사하자. 건강한 육신은 감사하는 마음에서 시작된다.

둘째, 지금 감사의 마음을 표현하라.

아리스토텔레스는 "감사하는 마음은 금방 노쇠해버린다"고 하였다. 감사하는 마음을 제때 표현하지 않으면 이내 사그라진다. 인간은 자기 세계에 빠져 살아가기 때문에 감사의 말을 귀로 듣기 전에는 절대로 그 마음을 모른다. 감사할 일이 있으면 주저하지 말고 그 즉시 감사의 마음을 표현하라.

셋째, 현재 상황에 감사하라.

타인과 비교하지 말고, 내가 소유하고 있는 것에 집중하라. 불운과 행운이 수없이 널려 있는 인생의 모래사장에서 무엇을 집어드느냐는 개개인의 취향이다. 불운을 집어들어봤자 나오는 건 탄식과 불평뿐이다. 현재 상황에 감사하면서 미래를 기약하는 게 현명하다.

넷째, 감사 일기를 써라.

잠들기 전에는 감사 일기를 써라. 오늘 하루를 되새기면서 감사한 일과 감사한 이들을 떠올리며 일기를 써라. 간단하게라도 감사 일기를 쓰고서 잠들면 어지러웠던 생각이 정리되고 마음도 평화로워진다. 숙면을 취하기 때문에 자고 일어나면 몸도 마음도 가뿐해진다.

다섯째, 수시로 감사 편지를 써라.

감사할 일이 있으면 자필로 감사 편지를 써라. 연말연시에 받는 편지는 형식적으로 느껴져서 받는 사람의 감흥이 떨어진다. 전혀 예상하지 못하고 있다가 받는 편지는 느낌이 남다르다. 그냥 주어도 좋지만 작은 선물과 함께 건네주면 받는 사람의 즐거움이 배가 된다.

　감사하는 마음도 인생을 살아가는 능력이다. 행복이 우리를 감사하게 만드는 것이 아니라 감사하는 마음이 우리를 행복하게 만든다는 사실을 깨달아야 한다. 어쩌면 행복은 감사하는 마음에서만 피어나는 소중한 꽃인지도 모른다.

행복은 찾아오는 것이 아니라
발견하는 것이다

많은 사람이 언젠가는 나에게도 행복한 날이 찾아올 거라는 기대로 고단한 하루하루를 버텨낸다. '그날'이 오면 행복해질 거라고 철석같이 믿으며 회사의 임원이 될 그날, 전원주택을 구입할 그날, 로또에 당첨될 그날을 기다린다. 그러나 과연 그날이 오면 행복해질까?

실제로 1970년 미국 일리노이주에서는 당시 돈으로 1백만 달러짜리 복권에 당첨된 운 좋은 사람들을 인터뷰했다. 평생에 한 번 있을까 말까 한 행운을 누린 그들은 하나같이 1백만 달러가 특별한 행복을 가져다주지는 않았노라고 대답했다. '그날'의 행복은 1년도 채 지나지 않아서 사라졌고, 생활은 예전으로 돌아갔다는 것이다.

심리학에서는 이를 '쾌락적응현상'이라고 한다. 인간은 어떤 상황에서도 쉽게 적응하는데 기쁨이나 즐거움 역시 마찬가지다.

위의 사례만 놓고 본다면 개인의 노력 없이 불시에 찾아온 행운이기 때문에 불시에 사라졌다고 생각할 수도 있다. 그렇다면 내가 매달 적지 않은 돈을 쪼개서 1억짜리 적금을 10년 동안 든다고 가정해보자. 적금을 타게 되는 10년 뒤에 나의 행복지수는 지금보다 얼마나 높아질까?

심리학자들이 동일인을 대상으로 행복에 대한 자기 평가를 7년에서 12년에 걸쳐 조사한 결과, 그들이 느끼는 행복과 불행의 정도는 세월이 흘러도 처음 조사를 시작할 때에 비해 변함이 없는 것으로 나타났다. 따라서 적금을 탄 10년 뒤에 나의 행복지수를 측정하고 싶다면 지금의 나의 행복지수를 재면 된다. 지금 내가 느끼는 행복지수가 50점이라면 적금을 탄 10년 뒤의 행복지수도 50점 안팎이다. 물론 1억짜리 적금을 탔으니 경제적 여유가 있어서 돈 쓰는 즐거움은 늘어나겠지만 행복지수에 미치는 영향은 미미하다.

세월이 흘러도 행복지수가 변하지 않는 까닭은 개개인이 행복을 느끼는 감정은 유전적 요소가 큰 데다, 사람의 성향이 쉽게 변하지 않기 때문이다. 따라서 행복 지수가 높은 사람은 불운이 찾아와도 감사하고, 행복지수가 낮은 사람은 행운이 찾아와도 투덜거리기 때문에 세월이 흘러도 개개인의 행복지수는 큰 변화가 없다.

행복은 도파민이나 세로토닌 같은 다양한 신경전달물질의 분비를 통해 뇌가 느끼는 감정이다. 행복한 감정은 진화 과정에서 자연스럽게 형성되었다. 사냥감을 쫓아가다 마침내 사냥에 성공했을 때의 느낌, 가족이 모닥불에 둘러앉아 서서히 익어가는 고기 냄새를 맡았을 때의 느낌 등등이 뇌에 신경전달물질을 분비시켰고 행복한 감정으로 이어졌다.

또한 뇌는 이웃의 행복을 통해 나의 행복을 측정한다. 공동생활을 하던 원시 시대나 통신망이 단절되어 있던 과거에는 다 같이 못 입고 다 같이 배를 곯으니, 특별히 불행하다는 생각이 들지 않았다. 그러나 지금은 인터넷과 SNS 등으로 70억 인구와 함께 살아가고 있다. 자본주의 시대를 살아가는 우리의 시선은 빈자보다는 부자에게로 향하고, 초라한 것보다는 화려한 것으로 향한다.

셀 수 없을 정도로 많은 재산을 축적한 부자, 천재적인 사업가, 젊고 똑똑한 박사, 오랫동안 운동으로 다진 늘씬한 몸매, 눈이 번쩍 뜨일 정도로 아름다운 미모, 풀장이 딸린 넓고 쾌적한 집, 몇 억을 호가하는 외제 자동차, 화려한 명품 등등……. 뇌는 경쟁에 길든 오랜 습관에 의해 의식적이든 무의식적이든 간에 그것들과 나를 비교한다. 상대적 열등감 때문에 행복해지고 싶어도 도무지 행복해질 수가 없는 세상이다.

행복해지려면 일단 비교를 멈춰야 한다. 저명한 저술가이자 독실한 성직자인 노만 빈센트 필은 이렇게 말했다.

"우리가 행복해질 것인가 불행해질 것인가는 누가 결정하는 것일까? 바로 우리 자신이다. 행복한 사람이 되려면 평범함 속에서 로맨스를 찾는 맑은 정신과 눈, 그리고 어린애 같은 마음과 순박한 정신을 갖는 것이 중요하다."

우리의 눈은 화려함에 멀었고, 정신은 물질에 물들었다. 이런 상황에서는 그 누구도 행복할 수 없다. 비교를 멈추고, 내가 지닌 것들을 직시해야 한다. 또한 결과에 집착하지 말고 과정 그 자체를 사랑해야 한다.

우리가 원하는 것들을 찬찬히 살펴보면 진화 과정에서 필요했던 것들이다. 높은 지위는 음식과 배우자를 확보하는 데 유리했고, 많은 돈 또한 생존에 유리했기 때문에 원했다. 그것들은 나에게 잠시 만족을 안겨줄 뿐, 진정한 행복을 가져다주지는 않는다. 우리에게 행복을 가져다주는 것은 바로 우리가 좋아하는 것들이다. 좋아하는 사람을 생각할 때 행복을 느끼듯이, 일상 속에서 좋아하는 일을 발견할 때 진정한 행복을 느낄 수 있다. 만약 직장생활이 행복하지 않다면 일상 속에 좋아하는 것들이 없기 때문이다.

행복한 직장생활을 하고 싶다면 일상적인 것들을 좋아해야 한다. 아침에 눈을 뜨고 출근하기 위해 준비하는 시간, 다른 사람들과 함께하는 복잡한 출근길, 회사 동료들로 북적이는 회사 사옥, 곳곳에 손때가 묻어 있는 익숙한 사무실, 때로는 환하게 때로는 무뚝뚝하게 맞아주는 상사와 동료, 다양한 회사 업무, 동료들과 함께하는 점심시간, 몸이 나른할 때쯤 찾아오는 퇴근, 회사 일로 낯선 곳을 찾아가야 하는 출장, 팀원들과 함께 웃고 떠드는 회식 시간 등등을 좋아하게 되면 행복은 수시로 밀려온다.

좋아하고 싶어도 도저히 좋아할 수 없는 것들이라고?

눈을 감고 처음 직장에 출근했을 때의 설렘을 떠올려보라. 어린애처럼 순박한 마음으로 일을 처음 배우던 때의 기억을 더듬어보라. 그 모든 것을 처음부터 싫어했던 것은 아니잖은가.

인류는 오랜 세월 노동을 하며 살아왔다. 우리의 몸속에는 일을 좋아하는 유전자가 숨어 있다. 따라서 마음만 바꾸면 누구나 일을 좋아하고 사랑할 수 있다.

사무엘 베케트의 희곡 〈고도를 기다리며〉에 등장하는 고도처럼 행복은 아무리 기다려도 찾아오지 않는다. 행복은 우리가 일상 속에서 하나씩, 하나씩 발견해가는 것이다. 우리가 적극적으로 찾지 않아서 그렇지, 찾아보면 우리 주변에는 수많은 행복이 숨어 있다.

벤저민 프랭클린이 일찍이 말하지 않았던가. 행복은 아주 드물게 찾아오는 거창한 행운보다는 매일 일어나는 자잘한 편리함과 기쁨 속에 깃들어 있다고……

/

앞날이 안개 같을지라도
씩씩하게 도약하세요

내려갈 때 보았네, 올라갈 때 보지 못한 그 꽃.

시인 고은의 '그 꽃' 전문입니다. 짧고도 강한 메시지가 가슴을 울립니다. 하산하는 길에서 뒤늦게 본 아름다운 꽃에 대한 회한이 없을 수 없겠지요. 아마 오를 때 그 꽃을 보았더라면 산행하는 동안 인생의 아름다움을 오래도록 느꼈을 것이고, 아직 산에서 내려오지 않았을지도 모릅니다.

세월의 쳇바퀴는 발소리조차 없이 살며시 찾아옵니다. 정년퇴임을 하던 그해 가을의 은행잎은 유난히도 노랗게 물들었지요. 38년 만에 양어깨의 짐을 모두 내려놓고 평생 처음 같은 늦잠을 늘어지게 자고 일어나 거울을 보았습니다. 문득, 거울 앞에 서 있는 생소한 얼굴을 보고 소스라치게 놀랐습니다. 거울 속엔 패기 발랄하던 옛 모습은 온데간데없고, 나는 마치 '켄터키 프라이드 치킨' 매장

앞에 서 있는 듯한 백색 노신사의 모습이었습니다.

평생을 앞만 보고 힘차게 달리던 기관차가 갑자기 멈추던 그 날……. 퇴임의 한가함보다는 오히려 무료한 앞날을 어찌 소화해야 할 것인지, 주변 사람들이 모두 이방인처럼 느껴지고, 그 오랜 세월 동안 해놓은 것 하나 없다는 허탈감에 며칠을 흐르는 강물만 하염 없이 쳐다보던 기억이 나네요. 세월이 흐르면 불확실한 미래와 자 신의 잠재력이 쓸모없다고 버림받는 것이 가장 두렵다는 사실을 그 때야 비로소 알게 되었습니다. 중년의 위기는 스스로 만들어낸 암 울한 환상에 불과했지요.

이제 고원지대에 올라 탁 트인 전망대에서, 인생 전체를 관조(觀 照)할 수 있는 황금기에 안타깝게도 석양을 등지고 하산을 서두르 는 후학들에게 이 글을 남기려 몇 날 몇 밤을 지새워봅니다.

윌리엄 새들러는 《서드 에이지, 마흔 이후 30년》이라는 책을 통 해 40대에서 70대 중·후반에 이르는 기간을 제3의 연령기라고 주장 합니다. 태어나서 학교에 다니고 직업을 갖고 결혼을 해 2세를 키 우는 제1, 제2의 연령기를 지나 제3의 연령기에 전성기를 맞은 뒤 80대부터 노화 단계에 들어간다는 설명이지요. 그러면서 부디 후회 없는 삶을 살라고 역설합니다. 그러기 위해서는 항상 깨어 있는 두

뇌로 무언가 새롭게 배우며 바꿔보라고 말합니다.

스티브 잡스는 아까운 나이에 세상을 떠났습니다. 그는 우리에게 왜 창의력과 혁신이 필요한지, 완벽 추구가 얼마나 소중한지를 일깨워줍니다. 그는 스탠퍼드대학교 졸업식장 연단에 청바지 차림으로 나와, 졸업생들에게 이런 말을 했습니다.

"인생은 단 한 번뿐입니다. 남의 인생을 살려고 하지 마세요. 그리고 오직 여러분의 목마름을 추구하세요. 바보 같아도 좋습니다!"

성공하는 방법은 이 세상의 사람 수만큼 다양할 것입니다. 결국 자기만의 정답을 찾아 진정한 성공에 한 걸음 다가서야 합니다. 자신만의 목마름을 찾아야 할 것입니다. 억지로가 아니라 저절로 잘되는 일이 무엇인지 찾아야 합니다. 물론 이러한 과정 틈틈이 독서와 휴식도 필요합니다.

일본 소설가 마루야마 겐지는 자신이 쓰고 싶은 글을 쓰며 살기 위해 사는 방법부터 달리한 사람입니다. 일체의 부업을 하지 않고 오로지 소설만 쓰려고 그의 휴식처에서 은둔에 가까운 생활을 해왔습니다. 그러다 보니 아직도 일본 문단에서는 그가 누구인지를 잘 모를 정도입니다.

지식경영과 창조경영의 선두주자 빌 게이츠는 무슨 일이 있어도

1년에 두세 번 회사를 떠나 수도승처럼 생활하며 독서와 휴가를 즐긴다고 합니다. 그는 호숫가 근처 산막에서 휴가 기간 동안 회사 미래에 대한 직원들의 보고서를 탐독합니다. 이 보고서는 회사 직원이라면 누구든지 제출할 수 있답니다. 그가 이렇게 휴가를 보내는 동안 그를 방문하는 사람이라곤 매일 한두 차례 간단한 식사를 가져다주는 산막관리인뿐입니다. 사람들은 그를 만나고 싶어도 그럴 수가 없답니다. 그는 어느 누구에게도 이 장소를 알리지 않기 때문입니다. 그는 심사숙고 끝에 혼자서 회사의 진로와 미래를 결정했고, 그 결정은 마이크로소프트가 항상 경쟁 회사들보다 시장을 먼저 선점할 수 있는 좋은 결과를 가져다주었습니다.

중국 춘추 시대의 장수 여몽의 독서 교훈은 공부의 진정한 접근과 그 효용에 대한 상징적 이야기라고 생각합니다. 단순한 출세를 위한 독서와 공부라면, 그런 기능적 공부는 우리의 지성에 오래 자리 잡질 못한다고 하지요. 진정한 삶을 위한 공부만이 존재의 이유를 알려줄 것입니다.

오늘날의 청년 직장인들은 자기 자신을 누구보다도 잘 알고 있습니다. 자기 자신을 정확히 알면 우선 B학점은 먹고 들어갈 것입니다. 힘찬 새 출발을 항상 염두에 두세요. 뛰어가는 청년에겐 언제나 도약을 위한 '구름판'이 반드시 나타나는 법입니다. 멀리 뛰어오르기 위해서는 '도움닫기'가 꼭 필요합니다. 바로 그 '구름판'과 '도움닫기'가 삶의 길목에서 배우는 '인생 한 수'였으면 좋겠습니다.

비록 지금 고단하고, 힘들고, 속상하고, 앞날이 안개 같을지라도, 용기를 내어 씩씩하게 도약하세요. 비바람을 겪지 않으면 결코 무지개를 볼 수 없습니다. 함께 뛰고 싶다는 간절한 소망과 더불어 그 성(聖)스러운 장도(壯途)에 나의 손을 내밀어봅니다. 믿음직한 그대 청년들에게…….

내려갈 때만이 아닌, 올라갈 때도 필히 그 꽃을 음미해보세요. 그러면 또 다른 인생이 그대들을 맞을 겁니다.

Forsan et haec olim meminisse iuvabit!

아마 이 역시도 언젠가는 즐겁게 회상되리라!

저녁노을 물드는 동호대교 건너에
개나리 한창인 목림삼방(木林森房)에서
죽림재(竹林齋) 金 武 一

인생 한수

초판 1쇄 발행 2015년 4월 15일
초판 2쇄 발행 2015년 5월 15일

지은이 | 김무일
펴낸이 | 전영화
펴낸곳 | 다연
주소 | 경기도 파주시 문발로 115, 세종출판벤처타운 404호
전화 | 070-8700-8767
팩스 | 031-814-8769
메일 | dayeonbook@naver.com

본문·표지 | 미토스

ⓒ 김무일

ISBN 978-89-92441-63-6 (03320)